G O A

❖ Perle de l'Orient ❖

1996, Celiv Paris

ISBN: 2-86535-291-9

Texte: Mario Cabral e Sá
Traducteur: Florent Jouty
Rédactrice: Bela Butalia

Photographies: Amit Pasricha

© **Lustre Press Pvt. Ltd., 1996**
M 75 Greater Kailash II Market
New Delhi 110 048, INDIA
Tél.: (011) 6442271, 6462782, 6460886-7
Fax.: (011) 6467185

Conception et Maquette par
Pramod Kapoor à Roli CAD Centre

EAST WEST AIRLINES
India s favourite airline.
Remerciements ã East West Airlines
pour son assistance

Imprimé et relié à
Star Standard Industries Pte. Ltd., Singapour

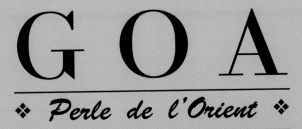

G O A
❖ *Perle de l'Orient* ❖

MARIO CABRAL E SÁ
AMIT PASRICHA

CELIV

TABLE DES MATIÈRES

Pages précédentes 4-5: *"Le festin d'un saint". Dans chaque village un jour est réservé pour fêter le saint-patron. Le prêtre de la paroisse, avec les autres membres de l'Église, porte les images saintes en procession.*

Pages 6-7: *Goa, c'est tout simplement 55 kilomètres de côte arrosée de soleil et d'une mer bleue de glace, bordé de palmiers vacillant doucement et de bateaux de pêche accostant et partant de ses rivages.*

Pages 8-9: *Le carnaval est une célébration qui précède le Carême et a lieu dans tout le territoire de Goa avec des danses de rue grandioses et spectaculaires, des chars, des défilés et des bals aux tenues élégantes ainsi que toutes sortes de parades. Il précède l'abstinence totale de la période de 40 jours du carême. Chaque d'année une foule de milliers de touristes se rue à Goa pour les trois jours et quatre nuits de célébrations.*

Le rosaire de perles est encore commun à Goa. Les dévots recréent les souffrances de Christ sur la Croix en témoignage de leur foi.

Pages précédentes 10-11: Un passé glorieux et un avenir excitant. Le taux élevé d'alphabétisation parmi les femmes a joué un rôle important dans le développement de Goa.

Pages suivantes 14-15: Un groupe de jeunes universitaires attendant à un arrêt d'autobus pendant la saison pluvieuse. Les pluies font partie de la vie de Goa, parfois aimées, parfois haïes, comme elles s'étendent sur quatre mois de juin à septembre.

Pages 16-17: Un salon typique d'un splendide vieux manoir avec son mélange de décor local portugais et européen, plafond boisé et mobilier de palissandre exquisément sculpté. Ces manoirs évoquent des images nostalgiques du mode de vie ibérique gracieux et plein de vie.

La récurrence de la douleur de Christ et de son martyre.

I

LE CREUSET

Pourquoi passent tant d'orages,
et la vie et le temps sont-ils si douloureux,
et toujours à la porte de la mort?
J'abandonnerai les épices sans scrupules.

—Bras da Costa

GOA DOURADA, Goa d'or, *Pérola do Oriente*, Perle de l'Orient, *Roma de Oriente*, Rome de l'Orient - ainsi fut qualifiée Goa par les conquérants, les voyageurs, les poètes et les évangélistes au cours de ces cinq derniers siècles. Plus de trois millénaires avant le début de l'ère chrétienne, Goa était déjà reconnu comme le coeur de la province mythique d'Aparanta par les dieux du panthéon hindou et les sages de l'antiquité. Aparanta était un endroit "au-delà de la fin", exotique et enchanteur, où le temps est immobile, comme l'indique la signification de ce mot en sanskrit.

Des notions peu judicieuses

La plupart des étrangers et un certain nombre d'indiens gardent l'impression que Goa est un État doté d'une population essentiellement catholique, avec plus d'églises que de pêcheurs et pleinement occidentalisé - avec des bars, des marchands de confection, des modistes, des parfumeries et des bijouteries débordant d'articles étrangers.

La vérité est toutefois différente. Les catholiques constituent moins de 30 pour cent de la population totale et les biens de consommation importés sont aussi rares - ou, quand ils sont disponibles, aussi fallacieux - que n'importe où d'autre en Inde. Et, en ce qui concerne les églises, les mémoires de John Fryer, un médecin britannique qui fit un voyage à Goa en 1675, viennent tout de suite à l'esprit. Il a écrit que Goa "présente une noble

Page opposée: Le poisson et le riz forment la nourriture de base à Goa. Un trait caractéristique d'une matinée est les pêcheuses venant à votre seuil vendre du poisson.

apparence jusqu'à seize kilomètres en remontant le fleuve, séant sur sept collines, une Rome dans l'Inde tant pour son absolutisme que pour sa structure". Il y avait alors plus de cinquante églises rien que dans le Vieux Goa, l'ancienne capitale portugaise. Mais la plupart se sont effondrées au cours des âges.

Dans le temps, tous les groupes importants de musique de danse, depuis le canal de Suez jusqu'à Singapour, comprenaient des musiciens goans . Et tous les grands hôtels et les paquebots de luxe internationaux employaient des chefs et des maîtres d'hôtel goans. C'était, en quelque sorte, une reconnaissance de l'épicurisme de Goa. Et cet épicurisme n'est pas confiné aux formes occidentales d'expression artistique. Les célèbres chanteuses de musique classique indienne comme Kishori Amonkar, Moghubaï Kurkidar, Kesarbaï Kerkar, Lata Mangeshkar et Asha Bhonsle sont toutes de Goa. Le cinéma commercial indien contemporain persiste cependant à dépeindre pour ses millions de fans crédules, un Goa envahit de mâles adonnés à la boisson et de femelles séductrices, chantant et dansant en toutes situations, même dans les plus improbables. Il montre des hommes et femmes dans un état perpétuel d'euphorie, comme s'ils étaient totalement privés de but, de direction, d'aspiration ou de responsabilité sociale.

Les mystiques autant que les sensualistes tendent - de bonne foi peut être - à dénaturer Goa. Le fait est que les Goans (ne jamais les appeler "goanais" si vous voulez les mettre de votre côté) ne sont ni des saints sanctifiés ni des pêcheurs sans remords. Et Goa, une beauté sans aucun doute, n'est pas un étang stagnant de mangeurs de lotus.

Il y a d'autres notions peu judicieuses répandues par des écrivains voyageurs extatiques à propos de Goa. Les plages de Goa sont magnifiques et ainsi qualifiées à juste titre; mais elles ne sont pas toujours très sûres. Elles ne sont pas non plus particulièrement propres. À l'île de Clinque dans l'archipel des Andaman, la mer est infiniment plus claire que dans la partie de l'Océan indien où baignent les 105 kilomètres du littoral de Goa. Les palmeraies de Sri Lanka sont plus saines et plus denses que celles de Goa. Une nuit de clair de lune aux Maldives est plus ensorcelante que le nouvel Éden hippy de Goa à Harmal. Et il y a plus de profanes catholiques, de prêtres, d'évêques et d'églises à Cochin, au Kerala, que dans tout Goa.

Le plus grand temple hindou de Goa est plus petit qu'un sanctuaire de *kuldevata* de n'importe quel village de la région de Maduraï. La "ville blanche" de Pondichéry est beaucoup plus latine, au point de vue architectural et fonctionnel, que Cidade de Goa, la capitale portugaise de Panaji, n'a jamais été. Et tandis que de nombreuses ménagères pondichériennes savent comment faire un excellent vin rouge sec avec des raisins noirs du Tamil Nadu , aucun Goan n'en connaît pleinement le secret. Au Kerala, les femmes de Quillon portent encore la blouse portugaise à manches longues et à col relevé; alors qu'à Goa nous ne les voyons que dans les albums mités de famille depuis longtemps oubliés.

Mais il est vrai que Goa est unique en son genre. Goa est presque an-indien sous beaucoup d'aspects (mais distinct d'anti-indien, qu'il n'a jamais été). Un véritable mélange d'Orient et d'Occident; mais un orient plus ancien que l'hindouisme et un occident beaucoup moins débauché que celui des marins maraudeurs de la Renaissance. Les temples hindous de Goa possèdent des chandeliers et des lampes murales d'origine islamique. Les rois et guerriers hindous ont prié dans les sanctuaires musulmans de Goa. Ce n'était pas par simple "tolérance", un mot aujourd'hui très profané, mais par une consciente acceptation du droit à vivre et à laisser vivre. La richesse culturelle de Goa vient de son conformisme civilisé, de sa croyance qu'il faut accepter les choses qui ne peuvent être changées comme l'histoire et ses bouleversements - et parmi ceux-ci les croisements entre races sont peut-être le résultat le plus intense et absolument irréversible. Et c'est ainsi que les Goans ont

conjuré le brave nouveau monde à tout instant de leur histoire tourmentée.

Quand le Tribunal sacré de l'inquisition imposa des changements profonds dans les trains de vie et les habitudes culinaires, les Goans convertis au catholicisme décidèrent d'ajouter des épices aux nouvelles variétés d'aliments introduites par les Portugais et jusqu'alors interdites, comme les mollusques et le porc. Par la suite les Goans ont créé une nouvelle cuisine, ni tout à fait orientale ni entièrement occidentale, mais délicieusement innovatrice et distincte en toute mesure. Les Goans apprirent des moines franciscains à distiller le toddy, leur primitif *soma-ras*, pour faire le "feni" plus capiteux et durable. Des Jésuites ils apprirent l'art de greffer les manguiers et de cuire le pain. Et à présent aucune mangue - par son goût, sa texture, son arôme et sa gamme génétique - ne peut égaler une mangue de Goa bien greffée. Ni les boulangers de part le monde ne connaissent le secret pour pétrir le pain avec du ferment naturel de toddy de palme.

Goa est un palimpseste sur lequel les caprices d'histoire ont été tracés, effacés et réécrits à plusieurs reprises; les Dravidiens furent les premiers, puis ce fut la terre promise des Aryens fuyant l'ensablement du fleuve Saraswati; le pays fut ensuite colonisé par les rois hindous; envahi à plusieurs reprises par des aventuriers islamiques; à d'autres instances le domicile des prédicateurs bouddhistes; enfin la scène centrale du prosélytisme catholique. Les royaumes émergèrent et s'effondrèrent dans une déconcertante succession. Les capitales vaincues ont depuis longtemps cédé la place aux fantômes et aux chacals; mais l'histoire, le mythe et la légende restent vivants.

La Terre des Sirènes

Doña Paula est la plus célèbre des sirènes portugaises - et elles sont nombreuses. La légende dit qu'elle était la dame de compagnie du gouverneur-général et qu'au bout de quelque temps le gouverneur succomba à sa beauté et à ses charmes. Ils furent découverts, comme le sont généralement les amants adultères. Et l'épouse enragée du gouverneur la fit dévêtir, lier et jeter à la mer de la falaise. Mais la femme du gouverneur fit preuve d'une certaine bonté en permettant à Doña Paula de garder son collier de perles, un cadeau d'amour de son confesseur.

Il y a l'autre belle histoire portugaise de la légende de Catarina-a-Piró, une éblouissante beauté. Elle fut la première femme portugaise à s'établir à Goa. Jeune paysanne de Miragaia, près de Porto au Portugal, elle était surnommée "la Piro" parce qu'elle n'avait aucun nom propre. Elle n'avait jamais connu son père qui aurait été un certain Albuquerque, "au pays ou n'importe où". Et sa mère pensait avec sagesse que sa famille avait déjà eu plus que sa part de mésaventures.

La vie amoureuse de Catarina est un océan sans fin de vicissitudes. Son mariage ne fut légalisé que sur son lit de mort, *in articulo mortis*, une faculté extrême accordée par la loi canonique catholique. Et il ne fut célébré par non des moindres (si la narration épisodique est vraie) que Saint François-Xavier, le saint-patron de Goa.

En 1518, quand Catarina s'embarqua pour Goa, elle avait probablement seize ans, et Garcia de Sá, son amant, en avait la trentaine. *Mulher ordinaria* (femme ordinaire) est le péjoratif notoire que lui donna Damiaõ Goes, le célèbre chroniqueur portugais dans son *Nobiliário*, le livre portugais qui fait autorité en matière de lignage (Une femme extraordinaire, en rétrospective).

À présent, quand vous entrez dans la chapelle principale de l'église de Rosario dans le Vieux Goa (construction votive bâtie à l'endroit même d'où Alfonso de Albuquerque conduisit la bataille navale contre l'armada d'Adil Shah), une tombe murale sur la gauche porte l'inscription suivante en portugais: "Ici repose Doña Catharina, épouse de Garcia de Sá, qui demande à ceux qui liront ces lignes d'implorer la compassion de Dieu pour le salut de son âme".

Piró est une inépuisable *dramatis persona*. Sa fille, Léonure, qualifiée par ses contemporains de "la plus belle femme de l'Inde", est devenue le symbole de "*mulher, esposa e cristã*" - mère, femme et chrétienne. Elle fut victime d'un naufrage au cours de son voyage de retour au Portugal. Plutôt que de permettre aux aborigènes de la côte orientale africaine de la ravir, comme ils l'avaient fait pour les dames de compagnie, Léonure creusa une tombe de ses mains et s'enterra dans le sable brûlant jusqu'au cou. Et elle mourut - déshydratée, mais chaste.

Deux femmes métisses de Goa, Dinamène et Mondtégui, ont dominé les vies des deux plus grands compositeurs portugais de sonnet, Luiz Vaz de Camões, un barde du seizième siècle, et Manuel Maria Bardosa du Bocage, un marin-écrivain brillant quoique paillard du dix-huitième siècle. Les deux poètes, qui vécurent dans la pénurie durant presque toute leur vie, furent poursuivis et traînés en justice par des prêteurs et par les gardiens et époux des femmes qu'ils courtisaient assidûment (et qu'ils n'échouaient presque jamais de séduire). Ils chantaient les vertus de leurs femmes dans des sonnets baignés de chagrin.

"L'Inde", qui est l'appellation que les Portugais donnaient à Goa, était un pays de belles femmes. Un moine appelé Lopo Saco, traîné en justice pour ses scandaleuses et lascives poursuites, confessa franchement aux jurés du "Tribunal de la Foi" que de pécher il admettrait vaillamment, mais qu'il n'avait certainement pas fauté - tant irrésistible était la beauté des femmes de Goa. Et il n'avait pas de regrets. Ni n'était-il le seul dans ces poursuites. Le chercheur américain Boïes Penrose écrit que le Vieux Goa du dix-septième siècle avait la réputation d'être une des villes les plus licencieuses de toute l'Asie. Il y avait beaucoup de maisons de jeux où des filles chantaient et jouaient de la musique, tandis que des jongleurs étonnaient les visiteurs avec des astuces orientales et que des bouffons faisaient des plaisanteries et des farces ridicules. Beaucoup de Portugais désoeuvrés restaient dans les casinos pendant des jours d'affilés.

Mais l'amour avait ses périls, Ruis Dias, un *fidalgo*, un gentilhomme, tomba amoureux après la conquête de Goa en 1510, d'une jeune femme musulmane qu'il avait retrouvé dans le sérail abandonné du sultan déchu. Il fut pendu jusqu'à ce que mort s'en suive pour son engouement impie.

Claude Dellon, un médecin français, séduisit la maîtresse du vice-roi au cours d'un voyage de détente à Goa en 1673. Il passa un long terme en réclusion, car son "crime" était considéré par les pouvoirs prudes de l'Église comme le "plus sérieux des péchés mortels" - si mince était la démarcation entre le vice et la vertu.

Il y avait dans le temps un tunnel secret entre le couvent, cloîtré à l'époque, de Santa Monica, actuellement le plus grand centre de

formation des nonnes en Asie, et l'impressionnant monastère des Augustiniens, maintenant en ruines. Le capitaine Loureiro, un soldat-historien portugais qui commandait la garnison de Goa dans les années 50, sonda le passage sous terrain et fit une découverte qu'il n'osa pas rendre publique: des squelettes de nouveau-nés. Naturellement, le passage secret a depuis été définitivement clos.

Le professeur Charles Ralph Boxer, l'autorité la plus reconnue sur la période de l'histoire portugaise asiatique, a dédié aux "femmes dans l'expansion ibérique d'outre-mer (1415-1815)" une étude charmante appelée *Marie et Misogynie - Certains faits, rêves et personnalités*. Il est estimé, écrit dédaigneusement Boxer, que plus d'un million de personnes des deux sexes, dans la fleur de leur jeunesse, partirent du Portugal pour l'Inde ou ailleurs. Mais c'était probablement une exagération. Il n'y aurait pas eu une seule place debout dans les galères. Une jeune femme de Mascarenhas trouva néanmoins le chemin de la cour de l'empereur Akbar et devient la concubine favorite du roi, sa Makani. Sa soeur se maria à un Bourbon qui, bien que déchu et recherché pour crime dans sa France natale, montra amplement en Inde le côté le plus lumineux de sa personnalité. Il devint le conseiller d'Akbar. Une autre Portugaise se maria au prince du Siam, mais pauvre femme, elle fut maltraitée. Le roi du Portugal était désolé de sa misérable condition, mais ne voulait pas risquer de bouleverser ses très cordiales relations d'alors avec le potentat asiatique. Il laissa sa compatriote à la merci du prince.

Mais les Portugais n'étaient pas les seuls. Richard Burton, un soldat, aventurier et conteur, écrit dans *Goa et les montagnes bleues* (1851) qu'il avait rencontré à Siroda, un village dans le centre de Goa réputé pour ses temples (et à une époque pour les courtisanes qui vivaient dans leur périphérie) un officier supérieur de l'armée britannique qui était tellement amoureux d'une *bayadère* de Goa qu'il l'épousa avant de mourir. Burton prétend qu'il corrompu lui-même une nonne de Santa Monica avec du cognac pour s'introduire à l'intérieur du monastère et faire l'amour à une novice. Les

histoires de sang et de gloire, d'amour et de luxure, sont un thème courant des nombreuses chansons folkloriques du pays.

Doña Paula

Doña Paula, nom d'une des les plus célèbres sirènes portugaises, a donné son nom à une plage exquise à la l'ouest de Panaji, la capitale de l'état; c'est actuellement un grand lieu touristique. Aucun visiteur de passage à Goa ne manque de s'y rendre. Dona Paula est aussi le lieu de l'état-major de l'Institut national d'océanographie (N.I.O.), et c'est de cet institut qu'est venue l'idée de rechercher les anciens ports indiens engloutis dans la mer et cette entreprise est poursuivie par son Centre d'archéologie marine. Jusqu'à présent, seul Dwarika, la ville de Krishna, a été excavé. Le travail se poursuit sur le site d'une autre ville portuaire mentionnée dans le Mahabharata, appelée Somnath et également située sur la côte du Gujarat. Plus au sud, Honavar, Gersopa, Bhaktal, Malpe, Udyawara, Kudanguluur, le Muziris des anciennes cartes grecques, devront encore attendre leur rédemption. C'était tous des ports importants. De Honavar, qui fut à une époque une principauté, était issu Thimmayia, son commandant naval. Il harcela les Portugais pour qu'ils ravissent Goa à son souverain musulman de l'époque, le sultan de Bijapur. Les Portugais le firent, mais Thimmayia ne réalisa jamais son rêve d'être le souverain *de jure* de Goa. Il offrit en échange aux Portugais des droits et autres privilèges comme colons préférés. Mais les Portugais repoussèrent son offre, et lui suggérèrent d'agir plutôt comme leur collecteur d'impôt dans les secteurs non fortifiés au-delà de la capitale de Goa. Thimmayia avait toutefois sa propre fierté. C'était en outre un vieux loup de mer très bien informé sur la côte occidentale de l'Inde, et il était également le gendre de la reine de Gersopa. Honavar et Gersopa sont maintenant des ports de pêche malodorants et insignifiants. Muziris fut finalement prise par les Portugais et les anciens colons juifs qui avaient leur propre royaume tout proche devinrent la cible de la fureur antisémite qui sévissait alors en Ibérie. Ce fut, rapportèrent les survivants, une tragédie aussi lamentable que la dévastation de la Palestine.

Dona Paula est également le site du cimetière

britannique, vestige de la brève occupation de Goa par les Anglais (1797-1813) au comble des guerres napoléoniennes. Plus loin sur la route, à la pointe du cap de Cabo, se situe le palais du gouverneur, un magnifique édifice indo-portugais. Mais Dona Paula est principalement le village où une certaine Doña Paula a aimé, a vécu, et mourut d'une mort sanglante. Les pêcheurs de la région ont un merveilleux choix d'histoires de fantôme au sujet de Doña Paula et de ses amants. Les nuits de clair de lune sur les coups de minuit, disent-ils, elle sort de la

de leurs premiers camps de la côte occidentale de l'Inde, il y a peut-être 70.000 ans. Près de la route de Panaji, au village de Chicalim, on retrouve l'évidence de la présence des hommes du Néolithique sous forme de poteries jaune rougeâtre décorées de motifs noirs.

Si, comme il est le plus vraisemblable, le visiteur se dirige vers le nord de Goa et le taluk (subdivision) de Bardesh avec son agglomérat de charmantes plages et de hameaux de pêcheurs le long de la ceinture côtière Candolim-Calangute-Anjuna, il pourra

La croix sur la plage est le symbole de la protection du Seigneur contre la rigueur des éléments.

mer et erre dans le secteur, juste vêtue d'un collier de perles, appuyée sur le bras du prêtre qui était son confesseur - et son amant.

Fortunes changeantes

L'avenir de Goa est, de plus d'une manière, inextricablement lié à son passé. Le visiteur de passage ne réalisera sans doute pas à son arrivée à Dabolim, l'aéroport moderne et en pleine expansion de Goa, que les travaux de construction en cours feront de ce site l'aéroport naval le plus moderne de l'Inde (et peut-être le maillon le plus important du réseau militaire du sud du pays). Et le visiteur ne sait certainement pas que sur ce même site les hommes de l'âge de pierre avaient installé un

trouver - s'il le cherche - un Goa beaucoup plus ancien que celui suggéré par son guide touristique, ou par la littérature que lui a donné l'hôtesse au comptoir de réception de l'aéroport. La ville de Mapusa, la principale du *taluk*, décrite dans les brochures comme le site des foires hebdomadaires les plus colorées de Goa (chaque vendredi, de l'aube au coucher du soleil), est aussi le site où les archéologues ont excavé une tasse rouge romaine qui a depuis généré plus que sa juste part d'hypothèses. Le *taluk* de Bardesh semble avoir été sous l'influence bouddhiste pendant le règne de l'empereur Ashoka, peut-être sous la direction de Dharmarakshita, le Grec converti qui était actif dans le Konkan. Une statue de pierre du Bouddha d'un mètre de haut en position de *dhyanamudra* (méditation), avec de visibles influences sculpturales helléniques, a été retrouvée sur ce site.

En explorant Goa, on retrouve un millier de pistes conduisant aux racines historiques de Goa - totems dravidiens, mosquées bijapuries et ruines des temples hindous détruits par les Bahmanis.

Les Portugais ont gouverné Goa pendant 450 ans. Leur ère débuta avec un intrépide marin portugais, Vasco de Gama, qui découvrit la route maritime des Indes et aborda à Calicut en mai 1498. Douze ans plus tard un audacieux militaire, Alfonso de Albuquerque, vaincu Goa après avoir battu les forces d'Adil Shah, le sultan de Bijapur. Et ainsi débuta sur le littoral de Goa une ère changeante d'attitudes et de fortunes, de splendeur et de cupidité, de pompe et de misère, de tyrannie des conquérants et de compassion des missionnaires, d'audace des aventuriers et d'abnégation des martyrs.

Les Portugais ne réalisèrent pas quatre siècles plus tard qu'ils n'étaient plus les bienvenus et qu'il était temps pour eux de partir de Goa et de permettre la réunification avec l'Inde. Des gens passionnés peuvent être rationnels et endurcis, et tels étaient les Portugais. Pour finir, ils furent délogés de Goa, après une action armée commandée par le gouvernement de l'Inde.

Le 19 décembre 1061, Bento Jorge Formozinho, un athlète portugais d'un certain mérite, était appréhendé sur le front de mer de Panaji par les victorieux *jawans* indiens. Il était au pied du mat des couleurs en face du palais d'Adil Shah - alors, et comme maintenant, siège du gouvernement de Goa. Il attendit son tour en chantant un *fado*, un péan portugais sur le destin et son irréversibilité, pour être emmené à un camp de prisonniers de guerre. Formozinho

était un dessinateur civil qui avait été promu lieutenant du régiment de cavalerie seulement la nuit précédente en vertu des pouvoirs extraordinaires et exceptionnels dont était investi le gouverneur-général portugais de Goa, commandant-en-chef des forces armées portugaises. Un nom mal approprié et pompeux pour une bande de conscrits, dont la plupart n'étaient ni Portugais (ils étaient Goans) ni armés, et certainement jamais - au moins pour les trois derniers siècles - une force.

La cavalerie Portugaise n'avait ni chevaux ni mules. Deux tanks, empruntés pas trop légalement à l'arsenal de l'O.T.A.N., rouillaient dans une arrière-cour régimentaire à Margao, la plus grande ville commerciale de Goa. Le seul canon antiaérien, que le gouvernement de Lisbonne avait poétiquement destiné à être "une sentinelle sur la mer", avait été amené par avion de Lisbonne avec de mauvaises munitions. Ainsi sont-ils venus, aventureux mais jamais réellement responsables! Ainsi s'en sont-ils allés, infiniment plus tristes mais pas plus avancés - trouvant consolation dans le fait qu'ils avaient tenu Goa plus longtemps que tous les souverains précédents.

Mais il faut reconnaître en toute équité que le Goa que nous trouvons et voyons maintenant doit sa forme géographique aux Portugais. Ce sont eux qui l'ont découpé. Ils établirent les subdivisions côtières au seizième siècle. L'intérieur vallonné fut annexé bien ultérieurement, à un rythme plus lent, par la diplomatie. Certaines d'entre elles, comme Pernem, où les Japonais projetaient dans la seconde moitié du dix-huitième siècle d'établir sur les hauteurs un village de vacances pour le troisième âge, et Canacona, avec les meilleures plages de Goa - et heureusement encore intactes.

II

INTERLUDE PORTUGAIS

Avant que nos rêves humains (ou nos terreurs)
ne tissent mythologies, cosmogonies et amours,
avant que le temps ne crée les jours de sa substance.
La mer, la mer de toujours existait, elle était.

—Jorge Luis Borges

PERSONNE n'a pu conquérir Goa et garder longtemps le pays depuis ses débuts légendaires de Gomantakesha. Et cela ne fait que renforcer la croyance légendaire qui veut que Parashurama, le créateur mythique de Goa, ait destiné cette terre à être unique et jamais subjuguée. Le mythe accorde crédit au sixième *avatar* de Vishnou une rare prouesse de force et de diplomatie: Parashurama ordonna aux montagnes de s'éloigner et à la mer d'avancer et installa, dans le vide ainsi créé, un trapèzeoïde de terre prospère ressemblant à un van - *shurparaka* en sanskrit - symbolisant sans doute que malice et médiocrité n'auraient pas de place à Goa.

Les géologues ont de leur côté une notion beaucoup plus cataclysmique de la création de Goa. Ses plaines sont constitué de la lave d'un volcan en activité il y a plusieurs millions d'année. Quand le volcan s'est refroidi, la dynamique de la nature a repris le dessus et a rendu les lieux habitables et attractifs. A un tel point, pour revenir aux nombreux mythes relatifs à Goa, que Shiva - le dieu hindou représentant le principe de la destruction et de la régénération qui s'en suit - choisit à un moment Goa comme refuge. Il avait eut une prise de bec avec Kali, sa redoutable épouse, et sous la colère il décida de quitter son domaine himalayen mais, il fut vite repéré par les limiers de son épouse sur les douces plages de Goa - qui depuis sont devenues un lieu de

rencontre et de réconciliation pour les amoureux.

Selon une autre légende, le Seigneur Krishna est également venu au Konkan et il fut enchanté d'y trouver des femmes se baignant dans la mer et se séchant ensuite sur les cheminements qui mènent de la côte aux sommets des collines. Là, il les entraîna de la magie de sa flûte et là, elles dansèrent pour lui, oublieuses de leurs obligations mondaines. Ces belles bergères (*gopikas*) et leurs vaches bien nourries (*go*) firent que Krishna appela cette nouvelle terre Govapuri. Et c'est de ce nom que Goa dérive son appellation.

Des milliers d'années après (en 540), vint une race d'hommes et de belles femmes intelligents au teint foncé - les Kadambas du Karnataka. Ils labourèrent la terre et la rendirent si prospère qu'on l'appela "le paradis d'Indra". À l'époque, "les rues de la capitale étaient envahies par le passage constant des nombreux palanquins des pandits [du roi Jayakeshi], avec leurs bras de portage incrustés de joyaux et à l'intérieur desquels vacillaient les boucles d'oreilles de leurs propriétaires".

Eux aussi, ne restèrent pas longtemps à Goa. Ils en furent dépossédés en 1310 par Malik Kafur, le général Khilji. Mais ils ne perdirent jamais l'espoir de reconquérir leur "Paradis d'Indra" perdu. L'empereur de Vijayanagar (1367-1472) régna sur Goa jusqu'à ce qu'il en soit expulsé par les forces bahmanis. Mais le royaume bahmani se désintégra bientôt et le sultanat séparé de Bijapur acquit Goa en 1489 comme part de ses tributs. Les Bijapuris furent à leur tour chassés vingt-et-un ans après par les Portugais.

Il fut une époque (de 140 av. J.-C. jusqu'en 1143 ap. J.-C.), où le Portugal était connu sous le nom de Lusitanie. C'était une des trois

Page opposée: Un crucifix solitaire se dresse sur une parcelle isolée d'une plage, afin qu'il soit visible de toutes parties du littoral. De tels crucifix étaient généralement dressés par les marins ou les pêcheurs, en vue de prier pour une bonne prise et un retour sûr avant de s'embarquer en mer.

colonies romaines de la péninsule Ibérique; avec la Tarragone (qui devint ensuite la Catalogne) et la Bétique (plus tard l'Andalousie). Même les paysans qui habitaient ces pauvres terres avaient entendu parler des mystères et des richesses de l'Orient. Ils avaient sans doute entendu des soldats romains saouls se vanter de leurs orgies de campements, ou dire que leur empereur Néron (37-68 ap. J.-C.) avait tué sa femme Poppée d'un coup fatal et qu'il l'honora ensuite (dans le style erratique dont il avait la réputation) avec des funérailles qu'aucune femme n'avait connu avant ni depuis lors: il ordonna de brûler rituellement du quassia et de la cannelle en grandes quantités, totalisant plus d'une année de production dans les pays d'origine. Sur une échelle orientale toute autant gigantesque, Jules César (101-44 av. J.-C.) a présenté à Servilia, sa maîtresse (et la mère de Brutus, son futur assassin), une perle d'une valeur de plus de 48.000 pesos (les perles des boucles d'oreilles de Cléopâtre valaient, bien sûr, quatre fois ce montant). Les soldats avaient sans doute exprimé leur crainte révérencielle tandis qu'aux funérailles du général romain Sulla (78 av. J.-C.), 300 chargements d'épices assorties étaient utilisés au cours des banquets funéraires de rigueur. Ou peut-être des officiers du rang qui administraient la Lusitanie se lamenter que les prix des soieries orientales si recherchées aient été fixés à un niveau inabordable depuis que leur stupide empereur Élagabal (218-22, av. J.C.; de son nom complet : Marcus Variùs Antus Bassanius Aurelius Antonius Heliogabalus) avait décidé d'utiliser ces rares textiles pour les habits des hommes également. On savait depuis des siècles que tous ces produits sans prix - épices et encens, raisins et herbes aromatiques, perles et pierres précieuses, soies et mousselines - provenaient de l'Inde, via l'Arabie. Mais le rêve de l'Occident de découvrir, de conquérir et de piller, ne devint une possibilité qu'avec les grands progrès maritimes du quinzième siècle.

C'est grâce à un noble portugais singulièrement brillant, Infante Dom Henrique, né le 4 mars 1394, que le Portugal acquit la possibilité de contrôler le commerce de ces *"coisa da India"* (articles de l'Inde) qui avaient hanté l'imagination de ses ancêtres impécunieux trimant pour l'Empire romain. Mathématicien et astronome de grand mérite, il fonda l'École nautique de Sagres, à la pointe sud du Portugal. Dom Henrique invita à son école nautique les plus grands mathématiciens et cosmographes de toute l'Europe. Et au cours des années, il bâtit (à ses propres frais) une caravelle, qu'il confia à un capitaine de son choix en lui ordonnant de découvrir de nouveaux pays - pour "donner au monde de nouveaux mondes". Au moment de sa mort en 1460, il avait par ces moyens fait explorer la côte ouest africaine jusqu'à la Sierra Léonne et avait ouvert la voie de la découverte de la route des Indes, 38 ans plus tard, par Vasco de Gama.

Ce fut une grande époque pour le Portugal. En 1487 Bartolomeu Dias passait le cap des Tourments - ainsi nommé parce que de nombreuses expéditions précédentes y avaient péri - et qu'il renomma pertinemment cap de Bonne-Espérance: "l'espérance" qu'un jour on découvrirait bientôt la route des Indes et de ses inestimables trésors. C'était la principale motivation de la gigantesque entreprise navale portugaise des quinzième et seizième siècles. Fernão de Magalhães (Magellan selon la déformation anglaise) entrepris son premier voyage de navigation autours du monde en 1519. Emporté par les succès de l'école de Sagres, Christophe Colomb, le marin génois, vint au Portugal et y vécu de nombreuses années, servant dans les vaisseaux portugais envoyés en mission en Guinée en Afrique occidentale. Colomb avait tout d'abord demandé au roi du Portugal, Dom Joao II, de financer son célèbre voyage.

La Conquête de Goa

Douze ans après la découverte de la route maritime par Vasco de Gama, Afonso de Albuquerque (surnommé "le terrible" à cause de sa sévérité envers ses ennemis - un titre dont il se montrait typiquement très fier) conquit Goa. C'était en l'an de grâce 1510, le 25 novembre à l'aube. Les Portugais avaient été invités par Timoja, un roitelet hindou, à libérer Goa des souverains musulmans de Bijapur (qui est maintenant un district de l'État du Karnataka) et de le rendre aux hindous. En retour, les Portugais recevraient le droit de faire du commerce avec l'Inde.

Comme le chercheur américain Douglas L. Wilson l'écrit, "aujourd'hui il semble qu'hier soit plus pauvre", ce qui signifie que le présent influence invariablement le sens que l'on attribue au passé. Peu de Goans accepteront le verdict de Jean Baptiste Tavernier, un aventurier français qui parcourut l'Inde au cours du dix-septième siècle: "Les Portugais, où qu'ils aillent, rendent les lieux meilleurs pour ceux qui viennent après eux". T.B. Cunha, le patriote Goan considéré comme le père de la lutte pour l'indépendance de Goa, était certainement un ardent critique des cultures mixtes forgées par les Portugais. Selon l'opinion du patriote, ce fut "la dénationalisation des Goans". Quand bien même, il est vrai que T.B. Cunha bénéficia lui-même, dans un certain sens, de la même éthique.

T.B. Cunha fut enfermé à Péniche, une des plus impressionnantes prisons portugaises. António de Oliveira Salazar, le dictateur Portugais, régnait alors suprême et il abhorrait les démocrates. Un des récents présidents du Portugal, Mário Soares fut également incarcéré à Péniche. À l'issue de son terme, Cunha fut libéré sur parole. Il était hautement considéré par les patriotes asiatiques, Pandit Nehru entre autres. On dit que Lénine égalait Cunha à Hô Chi Minh parmi les grands espoirs asiatiques, et non pas à Mao Zedong ou à Chou En-Lai. Bien entendu T.B. Cunha, comme la plupart des Goans de son époque, avait un nom à rallonge, une longue litanie d'appellations inspirantes, nommées après les saints exemplaires, les scientifiques de renom, les souverains puissants et les grands écrivains et poètes de l'époque, chaque nom étant contribué par un des membres respectés et savants de la famille. Dans le cas de Cunha, l'inscription au registre baptistaire de l'église de Chandor, d'où venait sa mère, se lit ainsi: António Sebastion dos Remédios Francisco Tomé Tristao de Brangança Cunha. Et tel était le nom inscrit sur son passeport. Dégoûté de la vie au Portugal, il décida de retourner en France où il avait passé les meilleures années de sa vie à étudier à la Sorbonne. Il savait qu'il lui serait futile de chercher à partir en avion. Aussi tenta-t-il de passer par la route en traversant les Pyrénées. Et bien entendu il réussit. La police portugaise ne tenait compte dans ses rapports que de la version abrégée de son nom, T.B. Cunha, qui de toute évidence ne correspondait pas aux noms mentionnés dans son passeport.

Les contemporains et les amis de Cunha se souviennent que, même quand ses conditions financières n'étaient pas des plus prospères, il s'asseyait à une table bien dressée - lingerie damassée, couverts en argent et grand calice de cristal pour les apéritifs. Il y avait du madère avec la soupe, du vin blanc sec avec les poissons, du vin rouge sec avec les viandes, une larme de cognac après le dessert - et tout cela lentement dégusté, assis dans un fauteuil en bois sculpté, lisant les épreuves de son dernier manuscrit ou un livre qui avait attiré son intérêt. Un cigare de la Havane également? Les mémoires de ses disciples et de ses admirateurs manquent à ce sujet.

Sur les ordres d'Alfonso de Albuquerque, les femmes (dont de nombreuses Turques) des *zénanas* des nobles déchus de Bijapur furent alignées sur les remparts de la cité vaincue de Goa. Certaines d'entre elles - en fait la plupart - effrayée à l'idée du déshonneur et des viols, se jetèrent en hurlant dans un puits voisin asséché et moururent étouffées dans leurs *burkhas*. Celles qui survécurent furent embarquées sur le vaisseau d'Albuquerque, inventoriées dans le rapport et enfermées dans les cales - un internement protecteur, à l'écart des guerriers prédateurs rodant en ville. À l'aube, Albuquerque annonça sa décision: les soldats qui choisiraient une épouse légale parmi ces femmes recevraient une pension et une parcelle de terre, et il donnerait personnellement à chacune des épouses un trousseau et une alliance en or. Dans une lettre adressée au roi Dom Manuel I, Albuquerque les décrit comme "*alvas e belas*" (belles et claires de peau).

Mais Albuquerque découvrit bientôt d'autres vertus goanes. La Bohème (la Tchécoslovaquie contemporaine) était réputée pour ses fabricants de fusils (et non pas seulement pour son libertinage légendaire - et largement apocryphe), et pour une nation dans un continuel état de belligérance comme le Portugal l'était alors, la Bohème était le pivot de tous ses plans et actions. Alors dans une lettre à Dom Manuel I, tout juste un an après la conquête de Goa, Albuquerque suggéra l'arrêt

Pages suivantes 30-31: *Une scène journalière de la vie à Goa, les pêcheurs au travail, manoeuvrant les bateaux et se dirigeant vers le marché avec leur récolte de poisson du jour.*

des approvisionnements en fusils de Bohème pour les faire fabriquer à Goa où les ouvriers - et leurs femmes - étaient capable de produire des armes "aussi bonnes sinon meilleures". Les artisans du pays, ajouta-t-il en matière d'appréciation, pouvaient aussi fabriquer des guitares "et presque tout ce que l'intelligence humaine peut concevoir". (La guitare, notèrent par la suite les philologues portugais, possède des racines étymologiques communes avec le *sitar* composé d'une calebasse et joué par les *bayadères* des sérails situés à la périphérie des temples du pays.)

Selon l'opinion du roi portugais, la tâche la plus importante était de monopoliser le commerce entre l'Orient et l'Occident. Et les Portugais furent sur le point d'achever cette tâche. Ainsi écrit un exultant F. Manuel Godinho dans *Relação do novo ciminho que fez por terra e mar vindo da India para Portugal no ano de 1663* (Rapport sur la nouvelle route commerciale par terre et par mer au retour de l'Inde vers le Portugal en l'an 1663):

> Vinrent et repartirent du port de Goa de riches flottes japonaises chargées d'argent. De Chine elles apportaient de l'or, de l'argent et du musc, des Moluques des clous de girofle; de Sunda des noix et de la muscade; du Bengale toutes sortes de textiles précieux; des rubis de Pegu; des perles de Manar; du benjoin d'Achem; de l'ambre des Maldives; des éléphants de Jafnapatam; du tek et du cuir de Cochin; du poivre et du gingembre de Malabar; des fournitures alimentaires du Kannara; du bois noir de Solar; du camphre de Bornéo; du santal de Maduraï; de Cambay de l'indigo ainsi que de la laque et des textiles; du coton brut de Chaul; de l'encens de Caxem; des chevaux d'Arabie; de Perse des tapisseries et toutes sortes de soieries et de brocards; des résines de Socotora; de l'or de Sofala; de l'ivoire, de l'ébène et de l'ambre du Mozambique; et d'Ormuz, de Diu et de Malacca de grandes quantités de monnaie provenant des taxes levées sur les vaisseaux passant dans ces régions.

Vers le milieu du seizième siècle, au zénith de l'Empire portugais, les problèmes avaient déjà pris racine. En 1553, Luis de Camões (orthographié Camoens par les Anglais), le plus grand poète portugais de tous les temps - son épopée *La Lusiade* est une oeuvre maîtresse structurée dans le moule homérique - gémissait qu'il devait quitter ses amis - en mendiant littéralement. Goa, la première dame de tout l'Orient, se lamentait-il amèrement dans d'excellent vers très vertueux, était "la mère des fripons" et "la belle-mère de tous les honnêtes hommes"; mauvaise administration et vénalité avaient atteind une telle profondeur abyssale. Quelques années auparavant S. François-Xavier avait dit au cours d'un moment d'inspiration, "*Goa ninguém a tomará, ela por si acabará*" (Personne ne prendra Goa, elle disparaîtra tout simplement).

Les messageries du changement

La contribution portugaise à l'histoire de l'Inde, que ce soit en des termes politiques, économiques ou culturels, n'a pas encore été pleinement évaluée. Les historiens ont soit proféré des insultes ou, tout arbitrairement, fustigé contre les peccadilles portugais, dans les deux cas au dépend de l'objectivité et de l'impartialité.

Comme tous les empires, l'Empire portugais des Indes - dont Goa était le pivot - a eut une période de gloire riche en événements suivit d'une période, toute aussi dramatique, de déclin. L'intolérance et la convoitise caractérisent inévitablement leurs naissances et leurs chutes. Mais, dans l'ensemble, l'interlude portugais ne fut pas, comme on a trop souvent voulu le souligner, une "tache totalement noire" occasionnellement éclairée par "l'éclair intermittent du sabre" et par "l'éclat des feux de l'inquisition".

La magnitude de la contribution du Portugal à l'histoire, à la navigation, aux découvertes, à l'interaction commerciale et culturelle entre l'Orient et l'Occident, est impressionnante et grandement sous-estimée. Le seizième siècle a été caractérisé par les incursions en Inde de deux conquérants ambitieux et presque sans pitié - les Moghols par la voix terrestre et les Portugais par la voix maritime. Les deux peuples agresseurs étaient étrangers à l'Inde et ont fait de leur prosélytisme une politique d'État. Quand bien même, un historien contemporain, J. B. Harrison fait remarquer dans son essai sur les Portugais (*A Cultural History of India*, édité par A.L. Basham) que les Portugais ont été "sous-évalués et perversement mal compris" tandis que les Moghols ont été "appréciés dans une juste mesure".

Harrison fait la liste des contributions portugaises à la vie indienne. Ils ont peut être pris en Inde des épices et des perles, mais ils ont également apporté leur tribut à la flore indienne avec: le tabac, qui a tout d'abord été introduit dans le Décan et par la suite dans le nord du pays (la pernicieuse plante sauvage, selon l'opinion de l'empereur Jahangir), les ananas provenant d'Amérique du sud; les papayes des Philippines; les noix de cajou du Brésil (*badam-i-farangi*, comme les nommaient les Moghols); le maïs, les arachides, le manioc et les patates douces d'Afrique; le durion et le mangoustan de Malaisie. Ainsi que les litchis, les oranges douces et, aussi incroyable cela semble-t-il, les piments! Ces piments rouges dont tout le monde pense qu'ils sont typiquement indiens - le *lal mirch* de la cuisine indienne - ont été apporté, semble-t-il, de Pernambucco.

Comme le fait remarquer Harrison, les Portugais ont été "de toute évidence les propagateurs des nouvelles techniques navales". Les grandes constructions de leurs vaisseaux à ponts multiples étaient conçues pour essuyer les tempêtes de l'Atlantique et pouvaient supporter des armements plus lourds. Leurs proues et poupes fortifiées étaient un instrument admirable pour repousser ou lancer des abordages" (c'était l'époque où la piraterie en haute mer était un objet de fierté.)

Les Portugais ont également à leur crédit l'établissement d'une "lingua franca" dans tous les ports indiens. À Surat, les commerçants anglais achetaient et vendaient leurs marchandises par l'entremise de courtiers parlants portugais. À Calcutta, les serviteurs de la Compagnie des Indes orientales s'exprimaient en portugais - un langage que connaissait bien Robert Clive.

Les Portugais ont monté en 1567 la première imprimerie d'Asie et, curieusement, le premier livre imprimé fut une traduction d'un Purana en marathi par un jésuite anglais nommé Thomas Stephens. Le premier livre en bengali, translitéré en caractères romains, fut imprimé à Lisbonne en 1743, son auteur était un augustinien appelé Manoel de Assuncao.

Le patron de Goa, saint François-Xavier, publia vers 1540 le manuscrit d'un manuel de grammaire et d'un lexique de vocabulaire de malayalam, sans doute le premier de la sorte. En 1578, les missionnaires portugais publièrent le premier livre imprimé en tamoul, *Christian Doctrine*. Sa traduction en persan fut confiée aux missions établies (sans grand succès) dans l'empire Moghol. Les Portugais ont également introduit des formes d'art et de style de peinture occidentale aux cours d'Akbar et de Jahangir, et leur influence se retrouve dans les peintures mogholes. Il n'est donc pas étonnant que Jean-Baptiste Tavernier, le voyageur français du dix-septième siècle, ait écrit que "les Portugais où qu'ils aillent, améliorent les lieux pour ceux qui viennent après eux".

Pour donner une bonne idée générale du Goa exotique et fantastique qui fleurit sous leur charge, le Vieux Goa doit être visualisé comme il l'était vers l'an 1600, quand sa population était à son sommet et, avant que le déclin fatal et irrévocable n'ait pris naissance. Goa était à cette période une ville avec une population estimée à 225.000 habitants, ce qui l'égalait à Londres ou à Anvers comme une des plus grandes cités de l'époque. Elle s'étendait sans doute sur deux kilomètres et demi le long de la rive sud de la rivière Mandovi, et se prolongeait peut-être d'une distance égale à l'intérieur des terres. "Son site était étrangement similaire à celui de Lisbonne, avec ses sept collines; elles étaient couronnées d'élégantes structures, tandis que plus bas se trouvaient de magnifiques palais, couvents et églises, plus imposants les uns que les autres, et tous resplendissants dans leur revêtement de pierre de Bassein".

Chaque rue était consacrée à un commerce ou à une corporation particulière. Linschoten, un voyageur hollandais qui résida à Goa entre 1583 et 1589, nous dit qu'une des rues était pleine de boutiques remplies de soieries, de cotonnades et de porcelaines chinoises, mais également de velours portugais. De l'autre côté il y avait des étals avec des chemises prêt-à-porter et d'autres vêtements à des prix abordables pour les pauvres gens et même pour les esclaves. Dans une autre rue, il y avait des boutiques de vêtements et d'ornements pour les dames; une autre était attribuée aux *banias* faisant le commerce des pierres précieuse et des articles de prix de Cambay. Il y avait autre part une grande rue

avec des magasins de meubles, où lits, chaises et tables pouvaient s'acquérir; les joailliers se trouvaient dans un autre quartier de la ville. Ceux qui percevaient les loyers et faisaient office de courtiers avaient leurs emplacements particuliers, de même que les pharmaciens, les droguistes, les selliers, les cordonniers, les quincailliers et les maréchaux-ferrants. Des aliments de toutes sortes étaient généralement en vente dans les bazars et les marchés en plein air répartis dans toute la ville. Les visiteurs étaient souvent impressionnés par les prix bon-marché et l'abondance de tous les articles. Il y avait même aux coins des rues des échoppes où les cuisiniers locaux préparaient des plats de poissons et de crustacés assaisonnés ou en sauce.

Un autre historien, James T. Wheemer, dans les quatre volumes de son *History of India from the Earliest Ages*, a tenté d'imaginer la scène du Vieux Goa un beau matin.:

Les marins et les coolies chargeant et déchargeant sur la rivière; les marchands occupés à présenter leurs articles; les esclaves amenant les provisions d'eau et d'aliments pour la journée. Il y avait le palais du vice-roi, entouré de majestueuses *fidalgos* donnant et échangeant avec la plus grande courtoisie. Nombreux d'entre eux étaient sans doute sur le chemin de la grande salle des conseils [sur les murs de laquelle] étaient accrochés les portraits de chacun des vice-rois et gouverneurs depuis Vasco de Gama. Il y avait aussi le palais de l'Archevêque, avec une foule de prêtres en robes noires, de missionnaires et de membres du clergé de toutes descriptions, natifs de même qu'européens. Il y avait en outre les tribunaux et les bureaux du conseil et de la chancellerie du roi avec des clercs occupés à travailler sur leurs bureaux, mais d'une manière grave et majestueuse à la fière manière de la noblesse portugaise. Pendant ce temps, au-dessus des bruits des bureaux et des bazars, les cloches des nombreuses églises et monastères situés dans toute la ville sonnaient de leur résonnance ecclésiastique.

Page opposée: Un magasin de bibelots avec un étalage exquis d'antiquités italiennes, portugaises et européennes.

Pyrard donne une image graphique de la vie des soldats dans le Vieux Goa, à l'époque en complète inaction en raison de la mousson du sud-ouest:

La plupart d'entre eux se trouvent en compagnie de jeunes filles ou de femmes vivant ouvertement avec eux, comme s'ils étaient mariés. Les autres, qui ne vivent pas d'ordinaire avec des femmes de ce genre, se regroupent, une dizaine à la fois, et prennent une chambre en ville. Ils y installent des lits, des tables et d'autres affaires, et ils ont un esclave ou deux en commun. Ils résident ordinairement dans les chambres les plus basses à cause de la chaleur. Vous pouvez les voir toute la journée dans leurs salons, ou assis sur des chaises devant la porte à la fraîcheur de l'ombre, tous habillés de leurs chemises et pantalons de coton blanc. Là, ils chantent ou jouent de la guitare. Ils sont très polis avec les passants, les invitent ouvertement à entrer, à s'asseoir, à s'installer confortablement et engagent la conversation. Ils ne vont pas tous ensemble en ville, mais par deux ou trois tout au plus, ils n'ont parfois pas plus de trois ou quatre costumes de service pour dix ou douze d'entre eux. Avec tout cela, quand vous les voyez marcher dans la ville, vous pourriez croire que ce sont des Lords avec des revenus de dix mille livres, tel est leur aplomb, avec leurs esclaves qui les suivent et des serviteurs qui les protègent avec un parasol ou un grand sombrero. La nuit ces soldats rodent à l'extérieur et il devient presque dangereux de circuler le soir après huit ou neuf heures car, bien que les archers et les sergents fassent des rondes, les soldats vont en groupes beaucoup plus importants.

Le chercheur américain Boïes Penrose nous rappelle que, comme presque tous les blancs des colonies tropicales, les Portugais avaient grand nombre de serviteurs qui faisaient tout ce qu'il était possible pour pas grand-chose. La plupart des commodités essentielles étaient bon marché et en abondance et à aucune occasion l'un d'entre eux ne refusait la plus humble des tâches. Dans un tel environnement doré, il était trop facile pour les colons de tomber dans la nonchalance, avec un mode de vie

Un groupe de jeunes chrètiennes en jupe et pantalon, tenue qui fut à une époque le symbole de leur foi et qui maintenant est tout simplement moderne.

dénué de but, et parfois même de tomber dans le vice.

Le point de vue de Penrose, partagé par les historiens favorables au Portugal, est que le déclin de Goa doit se rattacher à la chute plus générale de l'Empire portugais dans le monde entier. En surcroît aux raisons générales, il y a aussi un facteur qui a sans aucun doute particulièrement contribué à la décadence relativement rapide et générale de cette grande ville de l'époque. C'est le caractère malsain du site, manifesté par les épidémies qui se sont intensifiées en virulence tandis que leur

Page opposée: *La musique est quelque chose de naturel pour un Goan. Dans le temps les grandes familles avaient leurs groupes de musique particuliers. Ici un orchestre de village joue pour une cérémonie de mariage.*

fréquence augmentait. Il est difficile de dire quelle était la nature de ces épidémies. On pense que les principales maladies étaient le choléra, la dysenterie et les maladies vénériennes, mais peut-être pas nécessairement en ordre de magnitude. Étant donné le primitivisme des arrangements sanitaires, la typhoïde et la malaria régnaient probablement aussi. Selon l'opinion de Penrose, toute la région devint graduellement infectée par la malaria. On est ainsi témoin au cours du dix-septième siècle d'assauts épidémiques répétés de syndromes: il y a eut une vague sévère de peste en 1625, suivit quinze ans après par une autre attaque d'une violence sans précédant. Par la suite les Hollandais, qui étaient de toute façon intéressés à entraver le commerce portugais, ont fait le blocus de la cité au moins neuf fois. Et ainsi est venue la fin de *Goa Dourada*, l'âge d'or de Goa.

III
AU NOM DE DIEU

*J'ai examiné avec attention tout ce qui a
été dit sur le sujet par les étrangers et
j'ai trouvé dans l'ensemble de leurs écrits
plus à m'affliger qu'à m'instruire.*

—Reverend Denis L.
Cottineau de Kloguen

AU DIX-HUITIÈME siècle la puissance
navale portugaise, sur le déclin depuis la
fin du seizième siècle, était dans un état
de totale confusion. La réalisation de sa faiblesse
par l'administration de Goa a eu un effet
salutaire sur la vie des gens du pays. Ils
commencèrent à être acceptés selon leurs
propres termes, presque à égalité. À l'époque
également, la structure sociale de Goa
commençait à prendre forme, mais
inévitablement sur des lignes de caste et de
religion.

Le renouveau culturel

Les classes supérieures, qu'elles soient hindoues
ou catholiques, acceptèrent le fait - sans doute
un peu à contre coeur, mais néanmoins
consciemment - que les Portugais étaient là
pour rester, et il semble qu'elles se soient
décidées à faire leurs propres ajustements dans
la mesure du possible selon les circonstances
prévalantes du caractère social. Sur un autre
plan, les hindous et les catholiques du pays
commencèrent à prendre leurs distances. Il n'y
avait plus d'aires de grisaille - seulement des
coupures nettes et des distinctions sèches: les
firangis, les catholiques "natifs" et les hindous.

Simultanément, le catholicisme devint
pleinement accepté par les convertis, largement
à cause du mépris de leurs proches d'antan -
non-convertis. En conséquence les modes de vie
changèrent et les catholiques commencèrent à
lutter pour leur nouvelle identité. Les femmes
par exemple, qui n'appréciaient guère les
vêtements occidentaux, adoptèrent le *pano beju*,

*Page opposée: La pluie (mirg) est attendue pour
la première semaine de juin. Si elle tarde, on
évoque et on adore les saints catholiques du mois.*

un style que les Portugais avaient amené de
Malacca. C'était un genre de sari bordé d'or
porté comme une jupe sous une blouse en
dentelle à manches longues.

Il est intéressant de noter que (selon
Linschoten) "tous les hommes et femmes
Portugais étaient "habillés *de rigueur*" et faisaient
peu de concessions vis-à-vis du climat tropical
quand ils sortaient. Mais à la maison les hommes
portaient le pyjama et les femmes se mettaient à
l'aise dans des toges de brocart ou des chemises
de nuit diaphanes, et ils chiquaient tous du bétel
comme tous les indigènes".

Cette duplicité d'attitude des *firangis* dans
leurs modes de vie, publique ou privé, était
dans un certain sens l'expression de leurs crises
quotidiennes, personnelles et institutionnelles,
auxquelles les hommes servant à Goa étaient
confrontés, de même que leurs femmes et leurs
maîtresses - le fardeau de l'homme blanc, pour
ainsi dire, rendu plus lourd et plus difficile à
porter par leurs incurables illusions de grandeur.

Un autre développement intéressant du dix-
huitième siècle est le grand degré de participa-
tion des hindous dans la vie publique de Goa.
En résultat, ils se dépouillèrent de quelques-unes
de leurs précédentes inhibitions. Ils se sentirent
assez hardi pour se ré-établir dans le "*Velhas
Conquistas*" (littéralement, la vieille conquête),
les anciens districts de la côte qui avaient
inévitablement été les premières régions à être
conquises. À une époque, les temples hindous
étaient situés sur le littoral. Avec l'arrivée des
Bahmanis à Goa au quatorzième siècle, ils ont
subi leurs premiers désastres et persécutions. Les
Portugais sont arrivés deux siècles plus tard et
les hindous ont héroïquement transporté leurs
temples à l'intérieur des terres. Ainsi se sont-ils
momentanément protégés des conversions et des
harassements. Mais par la suite, comme toujours

De nombreux temples de Goa sont bâtis dans un style distinctif caractérisé par des intérieurs ornés et des extérieurs relativement bruts, comme le Datta mandir à Sanquelim, dans le nord de Goa. Datta est le dieu protecteur des animaux.

dans la vie, la lutte pour la survie a imposé une part de compromis; mais ils ont gardé dans une large mesure leurs valeurs intactes.

Personne ne connaît avec précision le nombre de temples hindous détruits par les Portugais. Ni non plus dans ce contexte, le nombre de mosquées détruites par les hindous. Ni ne connaît-on les destructions menées par les Bahmanis et les Bijapuris au nom de Dieu.

Certains historiens disent que les Bijapuris étaient tolérants et permettaient aux anciens temples hindous de fonctionner à côté des mosquées nouvellement construites. Mais il y a suffisamment d'évidences historiques pour montrer que de nombreux temples hindous situés sur la côte ont été récréés, après leur destruction par des bigots portugais, dans des régions plus protégées de Goa. La déesse

Page opposée: *Nandi Bala (la monture de Shiva) est adoré avant d'entrer dans un temple de Shiva. Plus de 65% des non-catholiques résident dans le nord de Goa et la région abonde de temples Hindous spectaculaires.*

Bhagwati par exemple, originaire du village d'Aldona sur la rive de la rivière Mandovi, fut réinstallée à Candolla, plus à l'intérieur.

Shantadurga, une symbiose unique à Goa de deux déesses - en théorie irréconciliables - a été transportée de Carambolim à Nanora près du Vieux Goa, à la frontière du Maharashtra. Saptakoteshwara, en l'honneur duquel a été construit le plus vieux temple de Goa (sur l'île de Divar, au large du Vieux Goa), a été transporté à l'autre extrémité de la rivière jusqu'à Narve, près de la frontière du Maharashtra. Ce temple fut reconstruit avec l'aide de Shivaji, le grand guerrier mahratte et, selon la légende, ce serait dans ce temple que Shivaji aurait reçu le sabre mythique de Bhavani.

Au nom de Dieu, des animaux étaient sacrifiés à Shiva et à Bethal, le dieu-démon. Vaddi, le sacrifice annuel en l'honneur de Bethal, est sans doute un des plus caractéristiques, dans le sens qu'il combine des éléments totémiques primitifs et des rituels védiques. La veille du *vaddi*, une personne s'en va aux alentours convier les *bhuts* (les mauvais esprits) à la *xim*, la frontière du village. La nuit suivante, les *mahars* (les vanniers), les charpentiers, les maréchaux-ferrants, les blanchisseurs et les autres artisans *sudras* se rassemblent au temple de Bethal; ils y amenèrent des buffles ou des chèvres. Derrières les portes closes est assis le *chamador* (en portugais: celui qui convoque) aux yeux bandés qui embrasse l'idole de Bethal. À minuit, la foule est possédée par les *bhuts* au son des tambours, les animaux sont décapités et le sang est répandu sur une montagne de riz cuit aux pieds de l'idole. C'est le banquet des *bhuts*. Les *mahars* emmènent ensuite les carcasses dans des palmeraies isolées et se bâfrent de viande avec un plaisir orgiaque.

Au nom de Dieu, certains animaux sont sacrifiés et d'autres préservés à Goa. Les moineaux et les singes ne sont jamais tués, les moineaux parce qu'ils sont les avant-coureurs de la nouvelle moisson et les singes, parce qu'avec Hanuman, ils porté aide à Rama. Mais d'autre part, l'on ne doit pas toucher un chien ou un âne parce qu'ils sont considérés comme impurs.

À leur arrivée à Goa, les Aryens - qui avaient vénéré l'Indus et le Gange - établirent de nouvelles eaux sacrées. Les *tirthas* (lieux de pèlerinage) de la rivière Noroa (aussi appelée Hathgeshwar), des chutes d'eau d'Arvalem (aussi écrit Harvalem et également appelé Bhimakund) et de la fontaine des collines du Vieux Goa (Brahma-Camandolu), figurent parmi les plus sacrés d'entre eux.

Il y a également des montagnes comme Sidhanatha au village de Borim qui a toujours été un lieu sacré depuis l'époque pré-aryenne. Et ce ne sont pas les arbres sacrés qui manquent; la plupart sont liés au mythe de Krishna - vad (*ficus indica*), pimpol (*ficus religiosa*), tulosse (*cocimum sanctum*) et rumbod (*ficus glomerata*). Les femmes stériles font mille fois le tour du rumbod en vue d'obtenir une progéniture. L'arbre anvaly (*plyloathus ernblica*) a protégé Brahma, Vishnou, Shiva et leurs épouses quand ils furent bannis des cieux par Mrudumania. Le bel (*egle marrnelos*) est la résidence de Shiva, tandis que les feuilles du chami (*prosopis spicigers*) sont utilisées au cours des rituels consacrées à Ganesh.

Comme toujours, Dieu a fait ressentir sa présence de diverses manières - et jusqu'à un certain point incongrues. Au nom du "Dieu de l'homme blanc" de nouveaux cultes et sacrifices, et certains d'entre eux impressionnants, ont été introduits à Goa.

Le couvent de Santa Monica

Santa Monica fut à une époque le plus riche couvent du monde. C'est aujourd'hui le plus grand centre asiatique de formation des nonnes catholiques. Les anciens bâtiments se sont depuis en grande partie effondrés, mais d'autres restent toujours debout, presque intacts, et portent de sinistres témoignages du passé.

À Santa Monica à une époque, les "nonnes qui avaient pêché" étaient soumises à des mesures disciplinaires dans des pièces de pénitence. Il y avait plusieurs pièces de pénitence près des dortoirs des novices et dans un cachot souterrain. Le cachot existe toujours, mais il n'est plus utilisé. Les "pénitentes", volontairement ou par persuasion, se flagellaient et se stigmatisaient avec des cordes, des lanières de cuir et des clous d'acier. Les "récalcitrantes" étaient jetées au cachot et là, elles avaient affaire à la Rodeira - la nonne qui détenait les clés de la porte extérieure du cloître. Et elles étaient enfermées à vie, les voeux des nonnes étant irrévocables.

Un escalier à côté du cachot conduit à un passage souterrain qui n'a jamais été pleinement exploré. Certains disent que le passage conduisait à la rivière, qui à l'époque était beaucoup plus large. Le tunnel scellé du cachot n'est pas le seul mystère du passé. À une époque, il y avait à l'entrée du couvent une table pivotante avec une cloche placée à côté. Et là, jusqu'au dix-neuvième siècle, les enfants illégitimes étaient déposés, en général au milieu de la nuit. Quand la cloche résonnait, la Rodeira faisait pivoter la table à travers une ouverture spécialement conçue dans le mur, prenait l'enfant indésirable et le faisait baptiser. La table pivotante a été depuis longtemps démontée, le mur a été calfeutré et, tous les souvenirs de cette pratique complètement effacé. (De même malheureusement, la plupart des fresques des dômes datant du dix-septième siècle, qui ont été plâtré et blanchi à la chaux. Extérieurement, l'architecture de Santa Monica est un mélange de styles tuscan, corinthien et composite. À l'intérieur il est visiblement dorique.)

En venant de la Basilique de Bom Jésus par le chemin pavé de Calçada da Graça, "on arrive au Monte Santo et Santa Monica est située dessus" - ainsi le dit une ancienne description. Des centaines de nonnes vivaient ici - des blanches (de toute l'Europe), des Asiatiques (les Japonaises étant les plus en évidence après les

Indiennes), des Eurasiennes (très souvent des progénitures illégitimes). Elles étaient toutes considérées comme les filles de Santa Monica, qui dans la réalité fut la mère de saint Augustin.

Un incendie détruisit Santa Monica en 1620 et, il fallu quinze années pour la reconstruire. Puis, au dix-neuvième siècle, en conséquence à la vague anticléricale qui sévissait au Portugal, le couvent arrêta de prendre des novices. Les fondations des bâtiments se sont enfoncées à la même époque, la voûte en berceau s'affaissa et des contreforts ont dû être construits pour

l'époque à Goa. Elle n'avait jamais permis à aucun de ses deux maris de consommer leur mariage, et elle devint ensuite Soror Maria de Jésus, la plus redoutée de toutes les mères supérieures que Santa Monica n'ait jamais connu. Elle mourut en 1663 à l'âge de soixante dix-huit ans. Au moment de sa mort on découvrit des stigmates sur ses mains, ses pieds et son poitrail.

Un document ecclésiastique de l'église de Santa Monica atteste que, le 24 août 1636, une image du Christ a à plusieurs reprises ouvert les yeux et tenté de parler et, que du sang s'est

Santa Monica, à une époque un des plus riches couvents du monde, est de nos jours le plus grand centre asiatique de formation des nonnes catholiques Détruit par un incendie en 1620, il a fallu 15 ans pour le reconstruire mais les fondations se sont affaissées et la façade montre une inclinaison de cinq degrés.

maintenir les murs. La façade a toujours à présent une inclinaison de cinq degrés.

Dans les années cinquante, les Portugais accommodèrent l'armée dans le couvent longtemps déserté. Leurs relations avec l'Inde, à propos du statut de Goa, s'étaient détériorées et Goa était dans un état d'alerte permanent. On dit qu'un soldat perdu l'esprit en entendant chaque nuit, parmi les grincements des chauve-souris et des énormes bandicoots, ce qu'il prit pour les hurlements des fantômes des novices qui étaient flagellées.

Mais à Santa Monica il y a aussi des histoires de sainteté . Doña Maria Leitão, la veuve âgée de vingt-deux ans de Dom Manuel de Souza, un noble Portugais, fut mariée de force à un aristocrate allemand, Fernan Cron, qui vivait à

écoulé de ses blessures et de sa couronne d'épines, dont une partie aurait été épongée avec un linge et serait toujours préservée "quelque part".

Puis vint la peste. Les nonnes moururent les unes après les autres, la dernière le 20 mars 1885. Plus d'un siècle s'est ensuite écoulé avant que le couvent actuel ne soit ré-ouvert en 1964, après la libération de Goa.

À aucun moment ne semble-t-il, la tâche que s'était fixée le révérend Kloguen de séparer le bon grain de l'ivraie et la vérité du mensonge, ne fut facilité ni encouragée par les pouvoirs de l'époque. À un moment donné, les *bayadères* s'étaient creusé une niche dans la liturgie chrétienne, tout comme elles avaient leur rôle dans leur hindouisme d'origine. Le cinquième

conseil provincial, qui s'est tenu dans "la mer sainte de Goa en l'année de grâce 1606", institua des prohibitions très spécifiques. Les processions ne devaient plus (dorénavant) comporter - de jeunes femmes chantant ou jouant d'instruments de musique, ni de danseurs d'aucune sorte, qu'ils soient habillés en hommes ou en femmes". Le décret n° 12 adopté par le conseil rapporte: "Il n'y a rien qui n'excite plus la sensualité que les chants et les danses lascives". Et à partir de cette époque il fut interdit aux écoles de la paroisse d'enseigner "aux jeunes filles à chanter, à danser et à jouer des instruments de musique".

Sofa Masjid de Ponda

Il y a aussi la triste histoire de la Sofa Masjid de Ponda racontée les muezzins. L'islam était alors déjà en déclin à Goa. Les musulmans avaient perdu la ville du Vieux Goa au profit des Portugais, la seconde ville par ordre d'importance du sultanat de Bijapur. Mais à Banastarim, de l'autre côté de la rivière à la limite sud de la ville conquise, une poignée de femmes musulmanes avait naïvement mais bravement comploté pour chasser les intrus.

Auparavant, lors de la première salve de la conquête, Afonso de Albuquerque, le gouverneur portugais, avait pris "des hommes de bonnes intentions" de son régiment pour les marier à des femmes musulmanes. Mais les femmes musulmanes incitèrent ensuite leurs maris à la rébellion contre leurs propres frères. Et les Portugais passionnés cherchèrent à faire plaisir à leurs nouvelles épouses. La rébellion fut un échec. Un traité de paix suivit et selon ses termes les blancs "renégats" furent remis aux Portugais. Ils furent soumis à une punition corporelle: leurs mains, leurs pieds, leurs oreilles, leurs lèvres et leurs nez furent tranchés et on les laissa baigner dans leur sang jusqu'à ce que mort s'en suive. Mais deux d'entre eux survécurent cependant à leurs blessures - dont un finalement colonisa l'île de Sainte Hellène qui acquit par la suite une grande notoriété avec Napoléon Bonaparte. Mais c'est là une autre histoire...

Pendant un moment Ponda, une minuscule ville du centre de Goa, baigna dans la gloire des années lumineuses de la puissance musulmane de Goa. Elle est située à mi-chemin des Ghats occidentaux, à une distance sécurisante du littoral qui était à l'époque sous l'occupation

portugaise et à une distance respectueuse des Mahrattes au-delà des Ghats.

Il y avait vingt-sept mosquées à Ponda, et au coucher du soleil, les muezzins faisaient résonner l'air de leurs appels aux croyants. Une seule mosquée reste en place à présent - la Sofa Shahpuri Masjid. La mosquée fut construite par Ibrahim Adil Shah en 1560, mais ses alentours furent détruits par les Portugais au dix-huitième siècle. Elle n'est pas entièrement intacte, mais "reste tout de même debout" comme le disent les croyants avec commisération, c'est un haut lieu d'adoration. Un soldat, du camp des officiers des signaux situé non loin de là, remplace le *moulvi* non-existant. Son zèle et sa détermination sans bornes compensent sa connaissance limitée de l'histoire et de la théologie.

La mosquée a peut-être elle-même été construite sur le site d'un ancien temple hindou. Elle a une structure de base de toute évidence non-musulmane, et les éléments musulmans identifiables de la structure existante semblent bien être des ajouts et des embellissements ultérieurs. Mais de toute façon, elle fut à une époque splendide. Le hall central de la mosquée reste intact au sommet d'une envolée de marches en latérite qui menaient probablement aux corridors et aux balcons ornementés.

Pour une structure datant de 1560, le toit ne répond pas à l'attente - un rectangle de tuiles moulées de Mangalore - qui a probablement été mis en place durant les cinquante dernières années. Le *jawan* de l'armée qui s'occupe maintenant des affaires de la mosquée demande de son propre chef aux pauvres gens de verser tout de même "un peu d'argent" pour l'entretien des lieux - c'est dans son humble vision, une des nombreuses façons d'Allah de gérer ce monde.

Ponda est, par certains côtés, un lieu étrange. Dans le vieux fort il y a la *dargah* de Ghazi Abdulla Khan Shahid. Ce n'est pas seulement le monument d'une époque, c'est aussi un exemple de la tolérance religieuse la plus lumineuse. Sambhaji, le souverain mahratte, a prié sur sa tombe en 1682 pour le succès de ses troupes contre les Portugais. Il a aussi institué un *sanad*, une donation pour son entretien.

Dom João de Castro, le vice-roi portugais, détruisit Mandangad en 1547, mais Shivaji la fit reconstruire. Puis Shambhaji - quelles qu'en soient les raisons - la détruisit en 1682 et, tout aussi arbitrairement, la fit reconstruire vers 1684.

Au nom de Dieu, à une époque les hindous furent de connivence avec les chrétiens portugais

Un couple nouvellement marié se remémore son catéchisme et ses enseignements en allumant ensemble un cierge à l'église.

pour contenir les musulmans. À une autre époque, les hindous et les musulmans pensèrent que leur seule chance de survie résidait dans une offense ethnique conjointe contre les envahisseurs portugais. À cette période le *taluk* de Ponda était sous le pouvoir des Portugais, les vassaux appauvris et les *inamdars* ou les féodaux du sultanat de Bijapur étaient prêt à se joindre à l'infanterie portugaise.

"Dans l'intérêt de tous"

Quatre cents ans après, de 1954 à 1961, sous la considérable pression économique et politique de l'Inde, le Portugal catholique se tourna vers le Pakistan islamique pour lui demander de l'aide. Le Portugal résistait, avec tous les moyens possibles, aux suggestions polies et moins polies de l'Inde à laisser Goa en paix. Et le Pakistan répondit, un ennemi commun, l'Inde, était une raison

Page opposée: *À une époque, le solfeggio, l'enseignement de la musique, était obligatoire dans les écoles paroissiales. Il était commun que des prêtres chantent ou jouer de la musique au cours des cérémonies religieuses.*

suffisante pour leur nouvelle amitié. Les croisades et les persécutions des "infidèles", la conquête du Goa musulman aux dépens des hindous, le martyre des femmes des zénanas de Bijapur - tout fut pardonné et oublié. Au nom de Dieu, on a fait faire à l'histoire un retournement complet.

Quand les chasseurs de l'armée de l'air indienne commencèrent à effectuer des vols de reconnaissance au-dessus de Goa au début du mois de décembre 1961, (en préparation à l'assaut final du 18 décembre à minuit), le gouverneur-général portugais Manuel Antonio Vassalo'e Silva, et le patriarche des Indes orientales Dom José Vieira Alvernaz, décidèrent que le temps était venu de cesser de prétendre une soi-disant invincibilité et, pour le meilleur et pour le pire, de confier le destin de la terre qu'ils avaient sous leur juridiction à des mains plus sûres et plus immaculées. Ils ouvrirent le cercueil de S. François-Xavier et déposèrent dans sa sépulture (comme d'autres vice-rois et gouverneurs portugais l'avaient déjà fait en temps de crise) le bâton du gouverneur-général.

À partir de cet instant, le saint ferait ce qui serait le mieux "dans l'intérêt de tous"...

IV

FRANÇOIS-XAVIER, SEIGNEUR DE GOA

(Les Portugais) cherchèrent secrètement à acheter des enfants
de plus de dix ans pour les manger. Chaque enfant était
acheté pour une centaine de pièces. En conséquence
les mauvais garçons de Kwanhing s'empressèrent
de kidnapper des enfants et le nombre d'enfants
ainsi dévorés est incalculable.

—K. C. Fok, *Early Ming Images*
of the Portuguese.

GOENCHO SAIB est une expression konkanie qui se traduit approximativement par "Seigneur de Goa" - "seigneur" a ici un sens de protecteur plus que de dominateur. Le titre posthume, avec son aura résonnante de dignité, n'était certainement pas attendu ni recherché par l'homme à qui il a été attribué - S. François-Xavier. "S'il n'y avait pas de cieux, il aimerait Dieu tout de même, et s'il n'y avait pas d'enfers il Le redouterait aussi" tel est en substance le thème d'un des sonnets les plus cités du saint dans sa langue natale. Ses reliques sont un trésor vénéré dans la basilique mineure de Bom Jésus (qui est sans doute le plus beau spécimen d'architecture baroque parmi les vieilles églises de Goa).

Les reliques de S. François-Xavier sont exposées durant la période du 24 novembre (la veille de la conquête de Goa en 1510 par Afonso de Albuquerque) au 7 janvier (le jour suivant la fête des Rois mages). Elles ont été à nouveau exposées en 1995 - certains disent pour la dernière fois - dans la basilique de Bom Jésus dans le Vieux Goa.

Sanjay Subrahmanyam commente la citation de Fok (donnée ci-dessus) dans son livre *The Portugese Empire in Asia, 1500-1700*: "Cependant, quelque soit ces images, dont certaines sont sans doute l'expression d'un

Page opposée: Une jeune femme priant à la basilique de Bom Jesus, bâtie en 1605 et élevée au statut de basilique par Le pape Pie XII en 1946. Elle est communément connue comme l'église Saint Xavier, depuis que ses reliques sont exposées ici.

but explicite visant à décourager les Chinois d'entrer en contact avec les Portugais, des individus portugais ont peu à peu réussi à pénétrer dans le commerce privé des côtes de Fukien et de Chekiang. Un des commerçants a plus tard écrit vers la fin des années 1540 une note intitulée "Informations sur la Chine" destinée au jésuite François-Xavier. Subrahmanyam écrit également, "Le culte espagnol de la *limpieza de sangue* (pureté du sang) a été activement répudié par Loyola (le précepteur de François-Xavier et fondateur de l'ordre des Jésuites)". Xavier voulait (libéral, pour l'époque) prolonger les normes décrites par Loyola pour traiter avec les juifs dans son attitude envers la structure sociale des hindous qu'il voulait convertir au christianisme.

François-Xavier fut de bien des façons un homme étrange. Peu de gens savent qu'il était Espagnol - un Navarois de surcroît. Tout comme ses collègues modernes, il était sévère et stoïque et n'acceptait jamais un non comme réponse; d'où son remarquable succès comme évangéliste. Son nom fut écrit de différentes façons - aussi diverses semble-t-il, que les manières dont il menait sa vie: Chavier, Chavyères, Echabiar, Extaberri, Jabier, Javier, Savier, Saverio, Savierr, Savière, Xabier, Xabière, Xabierre, et Xavier. Dans son Pays-Basque natal cela voulait dire la même chose, "nouvelle maison" - la maison de Navarre où Francisco de Xavier Jassu est né le 7 avril 1506, un mardi de la semaine sainte, de Don Juan de Jassu Antonio et de Donna Maria de Azpilcueta Aznarez de Sada.

Il parcourra un long chemin durant les quarante six ans de sa vie. Peu après sa naissance, la "nouvelle maison" fut rasée au cours des hostilités entre les Aragonais et les Français. C'était les jours des braves - quelques fois totalement sans principes - des guerres, des pactes et des alliances. L'Ibérie, la région de naissance du saint homme, était un foyer d'intrigues politiques. François-Xavier, comme son sauveur et mentor Inigo de Loyola, a été nourri et moulé dans une ambiance de belligérance et de courage

de gagner la terre entière et de perdre son âme?"

Ce fut le tournant de la vie de Francisco - et en fait du progrès de la chrétienté en Asie: à Goa, au Malabar, à Ceylan, à Malacca, à Macao, en Chine et au Japon.

Un missionnaire exceptionnel

Xavier arriva à Goa en mai 1542. La vie à Goa au cours du seizième siècle n'était pas une partie de plaisir. Après une soudaine et

Les reliques de S. François-Xavier sont cérémonieuse-ment exposées certaines années entre le 24 novembre (la veille de la conquête de Goa) et le 7 janvier, dans la basilique de Bom Jesus. Des dévots accourent de tous lieux à Goa pour apercevoir les restes du saint-patron vénéré.

brutal. Le même sang chaud ibérique a alimenté leurs actions et leurs attitudes. Inigo, touché par un coup de canon en défendant ce qui restait de sa Pamplune natale, capitale de la Navarre, s'est relevé du champ de bataille pour mener une vie de pénitence et de méditation. Il trouva bientôt le chemin de l'ordre des Jésuites. Quelques années après, Inigo fera connaissance avec son compatriote Francisco dans un Paris étourdissant. Le beau Francisco, qui aimait les bons côtés de la vie, était toujours à court d'argent qu'il gaspillait dans les tripots de jeu. Et un jour Inigo, qui l'avait silencieusement aidé, posa soudainement à Francisco cette question apocalyptique: "À quoi sert-il à un homme

épique explosion de courage et d'aventure, les Portugais étaient devenus apathiques et vulnérables et succombèrent aisément aux tentations des plaisirs et de l'oisiveté. L'État et l'Église, officiellement partenaires au sein de la structure de l'Empire d'outre-mer portugais, étaient en conséquence affligés par le même fléau mortel, et la vénalité devint permanente au sein de leurs hiérarchies respectives. "Rapio rapis", se lamentait François-Xavier dans une longue lettre adressée au roi du Portugal, était "le verbe le plus communément conjugué" dans les établissements portugais en Inde - une rapacité pénétrant partout, dans tous les modes, les temps et les personnes possibles.

Son évangélisme, souvent sans compromis et parfois même foncièrement sévère (il se montrait souvent intolérant envers les dominations religieuses non catholiques), était caractérisé par un sincère effort, mais pas toujours couronné de succès, de comprendre l'éthique des "natifs" et il s'efforça de mélanger des éléments "indigénes" dans sa liturgie.

Xavier vécu à Goa, oeuvrant au sein du peuple. Il se mélangeait aux marins, soignait les malades dans les prisons et nourrissait les

fit durant la dizaine d'années qu'il passa en Inde.

En 1549, Xavier et trois missionnaires se rendirent au Japon et débarquèrent à Kagoshima au mois d'août. Le Daimyo de Kogoshima reçu le groupe d'une manière amicale et permit les conversions. Xavier resta au Japon jusqu'en novembre 1551, prêchant à Hirado, Kyoto, Yamagushi, Berugo et Kagoshima. Il fut le tout premier missionnaire chrétien à oeuvrer au Japon.

Eduardo de Noronha, un écrivain portugais,

L'église de Notre-dame de l'Immaculée Conception Altinho, à Panjim, bâtie en l'année 1540. Cette église est parmi les plus vieilles églises de Goa, et possède la seconde des plus grandes cloches du pays.

lépreux dans les hôpitaux publics. Il était grandement recherché par la population locale, tant pour ses conseils que pour ses remèdes. Ses actions, à l'opposé de celles des héros conquérants, irritaient la petite noblesse portugaise. Il fut bientôt envoyé en mission au cap Comorin et sur la côte du Kokan, mais fit de fréquents retours à Goa.

Quand Xavier quitta Goa en 1547 pour Malacca et l'Extrême-orient, il n'était pas particulièrement heureux. Il y alla tout de même, bien que "le corps malade et l'âme fatiguée", avec de grands espoirs et la conviction que de grandes tâches l'attendaient autre part. Les chroniqueurs estiment à 700.000 le nombre des conversions qu'il

rapporte dans sa biographie romancée, *O Missionario*, comment à son arrivée à Sanchan, le vieux port de Canton, François-Xavier rencontra les commerçants portugais établis dans la région. Xavier voulait entrer en terre proprement chinoise et pour lui faire plaisir ses compatriotes louèrent les services

Pages suivantes 52-53: Novidade *ou la nouvelle moisson. Le prêtre de la paroisse va dans les rizières accompagné par un cortège de paroissiens, il récolte une gerbe de riz et revient alors à l'église, où chaque paroissien reçoit quelques grains à ramener chez lui. Des villages entiers participent à cette célébration, où l'on prie pour une bonne récolte et pour le bien du village.*

d'un guide chinois, un marchand qu'ils connaissaient et qui devait le conduire de la côte à l'intérieur des terres. Le guide chinois voulait que le missionnaire le suive les yeux bandés. Quand François-Xavier mit en question cette étrange requête, le guide lui répondit aussitôt qu'il y avait grand risque, étant donné qu'il était étranger, qu'il soit arrêté et torturé par les pouvoirs en place. Et, si cela devait arriver, il (le guide) ne voulait pas être vu par sa victime involontaire au moment crucial.

François-Xavier semble-t-il, était passionné, prêt à tout, et ne tenait guère compte des risques liés à l'action, mais le guide mit alors une nouvelle entrave. Il avait eu, dit-il, le pressentiment, que son acte, qui serait sans doute financièrement bien rétribué, puisse le conduire vers de grandes difficultés, ou même à la mort lui et sa famille. "S'il en est ainsi, je n'irai point", répondit Xavier. Il mourut environ un mois après sur la côte de Sanchan, "le samedi du 3 décembre 1552 à 5 heures du matin, à l'âge de quarante-six ans. Son seul compagnon à l'époque était un serviteur chinois qui l'enterra sur la plage.

Exposition des reliques

Trois mois et cinq jours après la mort de Xavier, les commerçants portugais établis dans la ville portuaire de Sanchan firent exhumer son corps et l'embarquèrent pour Malacca. En ouvrant le cercueil, les témoins trouvèrent le corps aussi frais "que s'il venait d'être enterré". La dépouille fut amenée avec grande émotion et une crainte révérencielle dans ces conditions à Malacca où elle fut à nouveau inhumée. Elle y resta jusqu'en décembre 1553. Alors, elle fut encore exhumée et une nouvelle fois les compatriotes s'émerveillèrent de la "fraîcheur" de la dépouille.

Ils étaient prêts cette fois à embarquer la relique pour Goa, après lui avoir rendu "tous les honneurs religieux et militaires". Ainsi l'avait désiré le saint d'après certains de ses contemporains. Toutefois à l'arrivée de la caravelle à Cochin, le 13 février 1554, il fut découvert que le navire n'était plus en condition de poursuivre sa route jusqu'à Goa. La mousson était en pleine activité. Malgré tout, le bateau naviagua lentement jusqu'à Goa à la vitesse de tout juste "une ou deux lieues

par jour". La semaine Sainte avait déjà commencé et, cela signifiant que la période de deuil de rigueur exclurait les festivités envisagées, c'était un nouvel obstacle pour le "retour du Saint à Goa".

Le vaisseau aborda Ribandar, à Goa, vers onze heures du soir. À l'aube, la dépouille fut transportée dans un *catur* (une pirogue) jusqu'au Vieux Goa et fut officiellement accueillie sur la quai des cérémonies par le vice-roi, les jésuites et des milliers de gens. La relique fut ensuite exposée pour la première fois au Colegio Populo (maintenant en ruines). La dépouille ne fut transférée à l'église de Bom Jésus qu'en 1613 et là aussi, elle changea plusieurs fois de place. Le mausolée ne fut complété qu'en 1698, après dix années de bricolage.

Une dévote portugaise appelée Dona Isabel de Carom, anxieuse de posséder une relique du saint, arracha d'un coup de dent le gros orteil à l'arrivée de la dépouille à Goa. On dit que la blessure se mit à saigner abondamment et la pauvre femme s'enfuit de terreur, l'orteil entre les dents.

F. P. Rayana S. J. raconte dans sa biographie, *St. Francis Xavier and His Shrine*, qu'avant l'inspection officielle précédant l'exposition de 1782, l'inspecteur général de Goa déclara qu'il était responsable de la relique. Une partie est toujours en possession de ses descendants et une autre partie a été emmenée en 1902 au "Château de Xavier" à Navarre. Deux orteils cependant, qui se sont détachés ou ont été mutilés, ont été mis en châsse dans un étui de cristal en 1894 et sont encore à ce jour conservés à la sacristie de Bom Jésus. Toutes les expositions des reliques qui se sont déroulées à Goa depuis 1952 ont été précédées d'une inspection physique par un conseil d'hommes de médecine et de membres désignés de la Curie.

Pour citer l'*Encyclopaedia Britannica*:

Xavier est digne de figurer parmi les plus grands missionnaires chrétiens en compagnie de Patrick Boniface, Colomb et Anskar. Le tout premier jésuite missionnaire et fondateur de la Mission chrétienne au Japon, il fut le pionnier des méthodes modernes de missionnariat avec son examen minutieux et ses activités évangéliques. Il favorisait l'étude des langues, des religions et des coutumes des indigènes, faisait usage de collaborateurs du pays, s'efforçait de créer une littérature missionnaire en langues vernaculaires et organisait ses missions dans le détail. Xavier fut canonisé en 1622."

La dépouille mortelle de S. François-Xavier est chèrement conservée à Bom Jésus, une église édifiée en 1605 et élevée au rang de basilique par le pape Pie XII en 1946. La chapelle du sanctuaire de S. François-Xavier fut édifiée en 1665 à l'extrémité sud du transept de l'église baroque. L'intérieur de la chapelle est décoré de vingt-six panneaux représentant la vie et les miracles du saint. Le corps repose dans un cercueil hermétiquement scellé, fabriqué spécialement par un artisan italien. Ce cercueil est placé dans un magnifique coffre en argent, oeuvre d'un joaillier florentin du dix-septième siècle, Giovanni Batista Foggani. Le coffre est inhumé dans un magnifique mausolée construit dans le style florentin avec une donation du grand duc de Toscane.

Sur l'autel situé près de la tombe il y a une grande statue du saint tenant un crucifix de la main droite et un bâton de la main gauche. C'est une statue en argent pure de plus d'un mètre de haut avec un diadème en or incrusté de pierres précieuses. Il a été fabriqué par un artisan goan sur l'ordre de Francisca de Sepranis, une génoise et dévote du saint qui avait abandonné une vie de plaisirs pour fonder en Italie un ordre religieux nommé après le saint.

La sacristie de Bom Jésus, qui elle-même vaut bien plus d'une douzaine de cathédrales, a été financée par un sénateur portugais, Balthazar de Veiga. Il est mort en 1650 et est enterré dans la sacristie en face de l'autel. Il y a de grands cabinets de bois de santal incrustés d'ébène et d'or alignés le long des murs de chaque côté.

Il fut réalisé quelque peu tardivement, que les fréquentes expositions affectaient la condition générale du corps. L'église reconnaît maintenant que le miracle n'est peut-être pas éternel et "le corps incorruptible", comme il fut à un moment donné officiellement appelé, est dorénavant qualifié de "reliques sacrées du saint".

Pour les millions de dévots du saint, à Goa et dans sa région, l'usure de son corps mortel n'est pas un signe de dégénérescence, mais une manière propre aux cieux pour exprimer leur mécontentement sur la détérioration des valeurs de la vie.

Chacune des quatorze expositions cérémonielles du passé (l'avant-dernière s'est déroulée au cours de l'hiver 1984) a mis en évidence l'emprise du saint sur les coeurs et les esprits de milliers de gens - et dont tous ne sont pas forcément chrétiens. Les dossiers officiels contiennent des détails intéressants dans ce contexte. Quand les reliques du saint furent exposées en 1879, le nizam régnant à l'époque à Hyderabad arriva après un fastidieux voyage par la route, depuis son état isolé des mers, jusqu'à Bombay, où un vaisseau spécial affété l'attendait pour l'amener à Goa. Une des cures miraculeuses officiellement enregistrées durant cette exposition se rapporte justement au nizam qui était musulman...

Les missionnaires ultérieurs

Les membres de l'ordre des Jésuites qui ont succédé à S. François-Xavier dans sa mission évangélique ont tenté - et échoué - de s'établir dans le nord de l'Inde, où régnaient les Moghols. Mais les prêtres "indigènes" qui adoptèrent la méthodologie de S. François-Xavier et poursuivirent son oeuvre dans le sud de l'Inde et à Srilanka, semblent avoir eu un succès éminent.

Au dix-septième siècle, F. Joseph Vaz et ses "Oratoriens" firent un travail remarquable au sein de leurs missions au Canara et à Ceylan (comme s'appelait alors le Srilanka). Les Portugais avaient déjà été chassés par les Hollandais de leurs citadelles de Cochin, Galle et Kandy. L'église catholique était elle-même divisée entre le "Padroado" - une branche portant allégeance au Portugal - et le groupe Propaganda de prosélytes. Par implication, le groupe Propaganda était adverse à l'administration portugaise et devint bientôt le refuge des prêtres "indigènes", comme Dom Matheus de Castro, qui voulait que Rome "indigénise" l'Eglise en Inde, particulièrement à Goa, avec la désignation de prélats "natifs". Face à ce double assaut des Hollandais "païens" et des prêtres récalcitrants de Propaganda, F. Vaz et ses

Oratoriens agirent avec un remarquable degré de courage et de tact.

Comme S. François-Xavier avant eux, F. Vaz et plus particulièrement F. Jacome Gonsalves, un indigène de l'île de Divar, menèrent leurs activités missionnaires en langues vernaculaires. F. Gonsalves est aujourd'hui encore considéré comme le plus accompli des littérateurs en konkani, la langue dominante à une époque dans tout le Konkan et même plus au sud jusqu'à Cochin, maintenant district du Kerala. F. Gonsalves est également un auteur apprécié et un orateur reconnu en kannara et en cinghalais.

Coulé dans un moule similaire d'identification avec les "indigènes", un autre prêtre Goan, F. Angelo D'Souza, créa un formidable mouvement d'activisme social au début du siècle. Ses missionnaires ont depuis porté le message aux régions tribales de Dadra, Nagar Haveli Bastar, Ranchi et les îles Andaman et un aspect commun de la présente église "Agnel" est de se concentrer sur l'éducation plutôt que de se limiter aux conversions. Ces "Agnel-Ashrams" ont fait un travail de pionnier dans le domaine de l'éducation professionnelle et technique et de l'émancipation des femmes par l'éducation et l'indépendance. À l'opposé de S. François-Xavier et de certains de ses successeurs, les prêtres Agnels croient fermement aux vertus du *swadeshi*.

Il est intéressant de noter que l'apparence progressive des prêtres Agnels a été préfigurée au dix-septième siècle à Srilanka par les Oratoriens, l'ordre fondé par F. Joseph Vaz. Le roi de Jaffna, Vimla Dharma, et son fils Shriura sont décrits dans les textes

Page opposée: Le prêtre de la paroisse porte l'habit traditionnel complet quand il célèbre la messe les jours de fête des Saints ou de la Sainte Vierge.

de l'époque comme des amis et des protecteurs de F. Joseph Vaz. Ils croyaient que les Hollandais luthériens, qui régnaient alors à Ceylan, étaient leurs ennemis communs.

F. Vaz et F. Angelo furent tout deux confrontés à des adversités qui s'acharnaient fréquemment contre eux et y firent face avec le même calme emprunt de dignité et la même force d'âme que leur "modèle choisi", S. François-Xavier. F. Agnel mourut après une longue et douloureuse maladie supportée avec patience. La fin de Vaz est encore plus affligeante. Il venait tout juste de se remettre d'une sévère fatigue quand il a été appelé au chevet d'un catholique mourant de Kandy. Il ne pouvait pas marcher et il accepta avec gratitude de se faire transporter dans un char à boeufs. Il descendait la colline mais la route était tellement inclinée que le char se retourna et déboula dans le fond du vallon. Les contemporains de F. Vaz ont consciencieusement dressé la liste des conséquences de cette chute tragique: "forte fièvre, paralysie des membres inférieurs, mâchoires bloquées, un abcès dans l'oreille interne et de sévères mots de tête". Quand il mourut, après des mois de torture pour la survie, le roi Naavendra de Kandy ordonna à tous les chrétiens de son royaume de venir participer aux funérailles du prêtre de Goa.

Les restes mortels de F. Agnelo et les souvenirs de F. Vaz sont préservés et vénérés dans les sanctuaires construits en leur honneur respectivement à Pilkar, le site de l'ancienne capitale Kadamba de Goa, et Sancoale près de Dabolim où se situe l'aéroport de Goa. Des milliers de pèlerins viennent aux sanctuaires et prient pour eux ainsi que pour la canonisation de ces deux remarquables Goans par le Vatican.

V

RELIQUES DE SPLENDEUR

"Philippe, acclamé par le monde entier,
roi le plus redouté des Maures,
Réveille-toi! Car tandis que tu ronfles
personne ne t'aime ou ne craint ton courroux.

—Francisco de Quevedo Y. Villuegas

FAUSTO veut dire pompe en portugais et signifie également splendeur. Dans sa forme adjective ce mot signifie "heureux et chanceux". Et fort heureusement le *fausto* s'est jusqu'à présent attardé à Goa. Le professeur Charles Boxer, fameux historien et une des plus grandes autorités contemporaines sur l'Empire portugais en Inde, a mis en vente aux enchères chez Sotheby en 1934 un livre d'une grande rareté. Ce livre de Garcia Dorta fut imprimé à Goa en 1563 (la première imprimerie d'Asie a été montée à Goa en 1556). Il fait la liste des préparations herbacées utilisées en Inde et c'est certainement un des plus anciens et un des plus fins tributs à la culture et à l'antiquité de l'Inde.

Puis, en 1974 un rare exemplaire d'un "Aureus" de Geta datant de 205 ap. J.-C. a été mis en vente aux enchères à Zurich. La réapparition de cette pièce de monnaie à provoqué des remouds dans les cercles numismatiques internationaux. On la croyait détruite au cours d'un incendie au moyen-âge, ce fut donc une stupéfiante résurrection. Et elle apportait une information historique jusqu'alors pratiquement inconnue - l'existence du consulat conjoint de Severus et Caracalla dans la Rome antique. Il fut aussi reconnu que la pièce avait été précédemment en la possession de M. Fenelon Rebello de Goa.

Fenelon Rebello était un géologue par profession et un aristocrate de Margao, une cité

qui autrefois s'appelait *Lusa Atenas* - ce qui en portugais désigne l'Athènes de Lusitanie (c.-à-d. portugaise). Il est considéré comme la plus grande autorité sur les pièces de monnaie et les billets portugais. Rebello est également le fier possesseur de panneaux muraux de bois de santal décorés de thèmes mythologiques hindous en haut relief. Certains de ces panneaux sont âgés de plus de cinq siècles. Il possède également une collection de verrerie vénitienne et de tuiles d'argile anglaises cuites au feu et fabriquées par des usines depuis longtemps fermées. Et il détient aussi une autre rareté, un "Patacão", la plus grande pièce d'argent indo-portugaise frappé à l'hôtel de la monnaie de Goa pendant le règne de D. Joao II (1521-1557 ap. J.-C.).

Les Goans sont par nature dotés du besoin de posséder et de chérir des objets d'art. Bien avant la conquête portugaise, les artisans de Goa étaient déjà réputés de par le monde. Quand les Aryens arrivèrent à Goa, ils amenèrent leurs prêtres, les concubines et leurs *chitrakars* (peintres), ces deux dernières catégories étant d'ascendance dravidienne. Les *chitrakars* étaient des artisans qui avaient échappé au travail ingrat des seraglios et vivaient de leur peinture en représentant les saints et les dieux du panthéon hindou et les scènes des épopées.

À une époque imprécise, les artisans diversifièrent leurs activités. A Kanwar (au Karnataka) ils se mirent à sculpter le bois, dans le nord du Konkan (au Maharashtra) ils taillèrent la pierre et créèrent la plupart des temples de la région creusés dans la roche. Les rajas du pays louèrent leurs services et dans la compagnie royale ils fabriquaient des selles, décoraient avec des peintures végétales les

Page opposée: Les images d'un Goan gracieux et vivant - un mélange d'influences occidentales et orientales. L'emploi d'huître et d'autres coquillages pour les vitres des fenêtre était dans le temps très commun, comme ici isolaient les maisons de la dure lumière tropicale du soleil.

En haut à gauche: *La sacristie de basilique de Bom Jésus bâtie en 1650.* **À droite:** *L'autel de S. Pierre dans le transept de la cathédrale de la Mer montrant le Christ donnant à Pierre les clés du royaume.*
En bas à gauche: *Un souvenir de l'exposition du corps de S. François-Xavier en 1974-75.* **À droite:** *Le Christ sur la croix parmi les éléments courroucés.*

murs des palais, les trônes et les sièges de la salle des *durbars*. Ils fabriquèrent également des instruments de musique tandis que certains d'entre eux se mettaient au travail de la laque et mettaient au point leurs propres produits chimiques et leurs techniques de brunissage et de polissage. L'ex-raja de Sawantwadi gère maintenant un commerce international d'exportation de magnifiques meubles et articles en bois sculpté selon l'ancien génie artistique des *chitrakars* et des *chitaris*, les sculpteurs sur bois de Goa.

Le Residenz Muséum de Munich est un lieu qui offre un autre témoignage de l'extraordinaire calibre des artistes de Goa au seizième siècle. Il renferme deux petits coffrets d'ivoire qui ont fait partie des trésors de la maison royale de Bavière. Des historiens ont cherché à remonter sur les traces des coffrets de Munich. Ils ont été exportés au Portugal, de là ils traversèrent l'Espagne et l'Allemagne pour finalement arriver en Bavière. Le roi de Bavière était parenté au roi portugais régnant, Dom Duarte, ce qui explique le voyage. Les détails ornementaux des coffrets vont des scènes pastorales et des scènes de chasse (représentant des chasseurs habillés en vêtements de la période portugaise) aux scènes de guerre. Parmi les motifs tirés de la flore et de la faune orientales et dans une merveilleuse synthèse, les expressions mythiques indiennes sont libéralement alliées à des représentations du martyre de saint Jean et de saint Sébastien. De l'or, des rubis, des saphirs et des diamants ont été utilisés pour les incrustations dans l'ivoire. Le cadenas est monté d'un énorme rubis entouré d'émeraudes et de diamants. L'alliance de motifs mythologiques indiens et d'épisodes bibliques chrétiens avait tellement choqué les évangélistes que le roi Dom Joao ordonna en 1546 au vice-roi de s'assurer que "dorénavant les officiels païens (hindous) ne puissent plus fondre, sculpter ou peindre des images et des représentations du Christ et des saints sinon ils encourraient amandes, confiscations et une punition corporelle de deux cents coups de fouet".

En 1567, le conseil provincial prohiba aux "artistes païens" de "reproduire des thèmes catholiques". Puis vint l'exode de presque tous les artisans hindous vers des lieux plus sûrs, au-delà de la juridiction portugaise. Quelques-uns restèrent tout de même, firent des compromis ou se convertirent au christianisme.

Et certains retirèrent indirectement du plaisir - heureusement pour eux inconnu des Portugais - à sculpter des autels et des chaires, à dessiner les scènes du paradis et des enfers catholiques d'après les symboles hindous classiques de la création, de la prospérité et de la destruction. Leurs Madones et leurs Belzébuths étaient souvent de subtiles mutations des Lakshmis et Kalis et leur foi d'origine.

Les artisans et les artistes de Goa étaient remarquablement tolérants. Au début les Portugais amenèrent leurs icones et leurs peintures religieuses d'Europe. Des séries qui survivent, la Sainte-Catherine de la cathédrale du Vieux Goa proviendrait du studio de Garcia Fernandes de Ferreirim au Portugal. Malheureusement, les panneaux peints du fort de Reis Margo (sur l'autre rive de la Mandovi, face à Panaji), qui seront bientôt préservés dans un complexe touristique - ils sont restés enfermés jusqu'à récemment - ont été endommagés et badigeonnés par une restauration précipitée et mal faite.

Les importations d'oeuvres d'art du Portugal avaient cessé au dix-septième siècle. Les artistes goans, admettait-on magnanimement, "pouvaient peindre aussi bien sinon mieux". Les "Apôtres" de la cathédrale de la Mer dans le Vieux Goa sont positivement inspirés par Van Dyke, et l'approche italienne des essais "natifs" de peinture et de sculpture se fait sentir dans les peintures murales du couvent de Santa Monica.

Ironiquement, le portrait de Dom João de Castro, le plus intolérant des bigots, révèle des influences mogholes. Il fut un temps où les Jésuites tentèrent de s'infiltrer à la cour d'Akbar, mais en raison de leur insistance évangélique ils ne purent pas aller très loin. Et à la chapelle de Rosario dans le Vieux Goa - construite comme symbole de la domination portugaise en Inde - se trouve la tombe de Catarina-a-Piró. Les ornementations de cette magnifique tombe de marbre sont de toute évidence d'inspiration gujaratie.

À Goa, les branches d'Héritage India ont poursuivit avec ardeur une magnifique obsession: conserver ce qu'il reste encore de l'éthique de Goa - ses maisons, ses églises, ses vieilles villes et ses anciens villages, ses costumes locaux, ses sculptures sur bois et sur ivoire, ses joyaux, ses fêtes rurales et ses festivals folkloriques. Il y aussi un plan destiné à financer la restauration des maisons les plus remarquables - la maison Silva à Margao, la maison Figueredo à Loutolim et la maison Bragança à Chandor. Les propriétaires devront faire un geste réciproque en gardant leurs portes ouvertes pour admettre, ne serait-ce qu'une fois par semaine, les touristes intéressés et les invités de l'État. Comment différencier a priori les gens de bonne foi des odieux personnages est une des difficultés auxquelles les responsables sont confrontés (il y a encore une dizaine d'années, la plupart des maisons de Goa gardaient traditionnellement leurs portes ouvertes pendant toute la journée).

En fait, une grande partie du splendide héritage de Goa s'est désagrégée. Les promoteurs immobiliers des zones urbaines et semi-urbaines, et les termites des zones rurales - les deux principaux prédateurs identifiables et les plus vicieux - n'auraient pu faire ni plus rapidement ni de pires dommages à l'esthétique et à l'éthique de Goa.

Le square de Garcia Dorta à Panaji était un des mieux planifiés et des mieux entretenus de tous les squares de l'Empire portugais. C'est maintenant une scène de désolation. Il en est de même pour le *Clube Vascoà da Gama*, tout d'abord propriété d'un conte portugais qui fut ruiné, puis acquis par un épicurien de Goa qui le perdit au cours d'une vente aux enchères suite à ses dépenses exagérées et son train de vie trop ambitieux. Le *Clube National* juste à côté, un autre héritage en décrépitude de l'aristocratie, n'est pas loin derrière dans sa dernière étape pour l'éternité. À chaque fois qu'il y a un bal ou une réunion dansante (ce qui arrive souvent), le propriétaire du bar au-dessous réclame un "droit de dérangement" pour permette de mettre des supports tout autours de son bar, entre ses tables et ses chaises, ses vitrines et ses bouteilles de feni, afin de soutenir le plafond qui pourrait s'écrouler sous le poids des joyeux couples goans dansant une fiesta mexicaine au-dessus.

Fontainhas, le soi-disant quartier latin de Goa, s'attarde. Fontainhas et Boca de Vaca dérivent leurs noms des fontaines situées dans ces quartiers résidentiels. Elles assuraient l'approvisionnement en eau potable de Cidade de Goa, comme Panaji était appelé à l'époque. À Fontainhas, l'eau sortait dans le temps d'un

beau buste féminin; et à Boca de Vaca, d'une bouche de vache sculptée (*boca*, bouche; *vaca*, vache). Les jeunes filles en jupes et en blouse moulantes venaient chercher l'eau à la fontaine avec leurs pots. Les étudiants du *lycée* et du collège de médecine résidant dans les petits foyers du quartier prodiguaient leurs flatteries et leurs plaisanteries d'adolescents et les jours de pleine lune, ils composaient des poèmes en honneur des belles et poussait la sérénade en chantant leurs *fados* au son de la guitare.

Heureusement, le square de l'église Margao est toujours presque intact. C'est en fait un lieu splendide. Mais ici aussi, les impondérables de la modernisation sont perceptibles...

Chapora est une plage au nord de Goa. Ce fut à un moment le paradis des hippies, réputé pour ses "happenings nocturnes" orgiaques et hanté par les voyeurs. Alors que j'écris ces lignes, les villageois de Chapora s'insurgent contre un hôtelier installé dans le secteur. Ils appréhendent que les activités immobilières mettent en danger la structure du fort, fierté des villageois qui a éveillé leurs sentiments pour la préservation de leur héritage architectural. Le fort a été construit en 1717 par le vice-roi du Portugal, Conde de Ericeira. Les archives historiques indiquent qu'il a fallu cinq années pour le construire. Ce devait être un rempart contre les Mahrattes ainsi que leurs ennemis, les Bhonsales de Sawantawadi. Ces derniers réussirent à capturer le fort en 1789 pour le perdre une année après.

La population de Chapora est peut-être pauvre et sans grande éducation, mais elle est fière de son histoire. Longtemps après que le reste du littoral de Goa ait été conquis et domestiqué, Chapora restait rebelle et maussade - "récalcitrante selon les chroniqueurs portugais". Ayant enduré les ravages de l'histoire à différentes reprises - par les Portugais, les Mahrattes et les féodaux de Vijayanagar et, avant l'arrivée des Portugais, par les Rajputs et les Chitpavans - les Chaporenses de même que leurs compatriotes de Goa, sont éveillé à un écologisme intuitif. Ils sont toutefois conscients qu'ils sont en train de perdre la bataille.

Bien que depuis des années la défence de l'environnement soit devenue une magnifique obsession de diverses institutions publiques et privées, ces bonnes intentions n'ont malheureusement porté que peu de résultats tangibles. Il est rare de voir, comme à Goa, tant de gens impliqués mais accomplissant si peu en matière de conservation et de préservation. J'ai sur mes étagères pas moins de 5 rapports impressionnants sur la défence de l'environnement qui envisagent le problème sous différents angles et sont signés par les plus grandes autorités - nationales et internationales - en la matière. La prise de conscience commune de tous les experts est qu'il y a trop affaire - et hélas, qu'il est trop tard pour arrêter la détérioration et que l'efficacité est réduite à néant avec presque aucune ressource financière disponible pour cette cause.

Les maisons bourgeoises de Goa

L'héritage culturel de Goa, faut-il se souvenir, est plus ancien et possède une histoire plus riche que ses rendez-vous tant propagés avec le Portugal et son mélange de cultures et d'expressions esthétiques résultant de la rencontre est-ouest. Quand les Portugais sont arrivés à Goa, ils ont trouvé de belles maisons. Les maisons étaient en général construites autour d'une cour centrale qui formait le centre de réception central pour les humains, les animaux domestiques et les marchandises. Le principal matériau de construction était la latérite, les toitures étaient couvertes de tuiles et inclinées pour faciliter l'évacuation des eaux, les précipitations annuelles étant de l'ordre de 250 cm. Les maisons existantes ont influencé les constructions ultérieures entreprises par les Portugais qui devinrent par la suite une des caractéristiques de Goa.

Les plus imposantes des maisons bourgeoises de Goa n'ont pas été construites avant la fin du dix-huitième siècle, soit deux siècles après l'arrivée des Portugais. C'est seulement à cette époque que les Goans semblent avoir accepté le mélange des cultures - la culture occidentale agressivement propagée par les Portugais, et leurs propres traditions indigènes. Au cours du dix-huitième siècle, on a été témoin d'une osmose similaire dans d'autres domaines culturels: dans la peinture, avec l'exécution de motifs de la Renaissance avec des pigments végétaux indiens; dans la sculpture du bois et de l'ivoire, avec la combinaison de motifs européens et indiens; dans la musique folklorique avec l'adoption du *mando*, une sorte de chant goan basé sur les hymnes catholiques et les chants des *ganhões* (ouvriers agricoles) d'Alentejo, une province du sud du Portugal à la frontière de l'Espagne; et plus remarquablement dans la littérature, avec le développement du style distinct luso-indien.

En architecture, les Goans convertis adoptèrent - à l'opposé de singèrent - certains aspects portugais qui étaient dans l'ensemble italiens dans le style et la forme, ainsi la cour originelle de la maison hindoue devint le patio ibéride. Les façades de maisons bourgeoises de Goa sont souvent cachées derrière de larges vérandas. Les moulures décoratives, les ouvertures des portes et des fenêtres et les simples corniches servent de protection contre le soleil tapant et les pluies diluviennes. Les chrétiens n'étaient pas orthodoxes en ce qui concerne la division de la maison. Les chambres donnaient sur la salle à manger ou sur le hall qui servait de salon. Les chambres étaient réparties un peu partout dans la maison. Dans les maisons les plus anciennes il y avait une rangée de grands dortoirs. Les catholiques possédaient aussi plus de portes extérieures - sans doute une extériorisation des nombreuses inhibitions qu'avaient déjà abandonné ou surmonté les "indigènes". Les balustrades et les éléments en fer forgé d'origine européenne étaient les ornementations préférées pour animer l'extérieur des maisons. Les intérieurs restaient dans l'ensemble orientaux.

On dit que les formes architecturales de Goa sont dérivées de "l'architecture portugaise". Mais si l'on examine les styles de l'architecture portugaise, il devient évident que l'architecture religieuse portugaise est basée sur le style classique italien. Des aspects comme les caissons voûtés des églises jésuites, les faux dômes sur les façades des églises franciscaines, les façades surmontées de frontons décorés, ont tous été empruntés aux Italiens. Même dans le domaine de l'architecture militaire, les conquérants adoptèrent aussi bien pour les fortifications que pour l'urbanisme des villes, les théories italiennes de Belici, Scamozzi et Caetano Navarese. C'est seulement vers 1680

Pages suivantes 64-65: Le Secrétariat de Goa bâtit sur la rive du fleuve Mandovi dans la capitale de Panaji.

que les Portugais se tournèrent vers les Français comme source d'inspiration. Dans l'architecture profane, les maîtres d'oeuvre goans avaient déjà, bien avant l'arrivée des Portugais, identifié et utilisé les matériaux les plus adaptés comme les toits couverts de tuiles cuites au four, les pierres de latérite, les bois résistant aux termites comme le *matti*, les huîtres et d'autres coquillages pour les vitres des fenêtres. Ils avaient développé et perfectionné des techniques de préservation pour les pierres et les bois en exposant les

Une maison typique de Goa possède une série de marches menant à un porche avec des sièges intégrés, dans l'ensemble applé balcão.

premières pendant une ou deux moussons, et en faisant macérer les seconds dans de la saumure. Quand ils utilisaient de l'argile pour les constructions, il la prenait aussi loin que possible des termitières et des fourmilières parce que c'était l'argile la plus fine. Dans leur *chitrakala*, leurs techniques de peinture, Ils utilisaient des pigments végétaux pour la coloration, des feuilles de kendu pour le brunissage du bois ainsi que des techniques de laquage - un mariage de chaud et de froid.

Très peu de maisons hindoues de la période pré-portugaise existent encore à Goa. Les rares qui sont encore debout ne sont en fait pré-portugaises que dans le concept. Depuis des siècles elles ont été modifiées et en partie reconstruites pour satisfaire les besoins divers de leurs propriétaires comme l'agrandissement

des familles et les changements de fortune qui affectèrent l'entretien des maisons, et elles ont été confrontées à l'inexorable décadence des structures propagée par le temps.

Une maison typique de Goa possède une série de marches menant à un porche comprenant des sièges en bois ou en maçonnerie intégrés dans l'ensemble. Cette zone appelée *balcão* sert d'antichambre ou de salon informel pour la famille. Les voisins se parlent souvent pendant des heures de leurs *balcão* d'un côté à l'autre de la rue, d'une cocoteraie de jardin ou encore d'un verger de manguiers divisant leurs propriétés. Dans un récent livre sur Goa, Sir James Richards (un ancien rédacteur de la revue *Architectural Review* et le correspondant du *Times* de Londres en matière d'architecture) observe: "les Goans ne sont pas différents des autres Indiens et permettent que leur vie sociale et leur vie de famille soient visibles aux passants".

Dans ce même livre, Richards remarque que "le style des maisons révèle clairement une influence portugaise dans les balcons à balustrades ou à rampe que l'on ne retrouve nulle part d'autre en Inde". Richards conclue que "la tradition classique que cela reflète n'apporte pas beaucoup de détails précis, en dépit du penchant des hindous pour le travail en finesse. La latérite, tendre et poreuse, ne peut être sculptée. En fait, il faut mieux la plâtrer".

Sur les maisons de Goa, la latérite est presque toujours sculptée et ensuite plâtrée, le plâtrage n'étant qu'un revêtement. Avant l'arrivée des Portugais, la latérite sans protection était un aspect commun des maisons de Goa. L'enduit de stuc est un ajout portugais, mais les constructeurs locaux ont tout de même allié au stuc des matériaux locaux et se fièrent à leur maîtrise indigène. Ils préservèrent et apprêtèrent le plâtre dans des fosses remplies d'eau mélangée de mélasse (pour le rendre plus doux) et de fibres de jute (pour augmenter sa résistance). Ils ont ensuite développé des techniques pour rendre le plâtre lavable au savon, économisant ainsi sur l'entretien des bâtiments.

Page opposée: *Les énormes manoirs d'avant l'indépendance cèdent la place à de nouvelles habitations modernes exhibitionnistes.*

Des coquillages translucides étaient utilisés pour les vitres des fenêtres car ils isolaient la maison du soleil de plomb tropical. En conformité avec leur tradition, les Portugais firent à Goa grande utilisation de balustrades en fer forgé, un aspect qui a fait des émules. Les constructeurs goans découvrirent eux-mêmes comment faire à partir d'une base ferreuse une sorte de badigeon qui agissait comme un antirouille, essentiel dans ce climat tropical et corrosif de la côte de Goa. Ils utilisèrent souvent des tuiles de mosaïque italiennes pour les sols, mais les carreaux étaient posés sur une couche de plâtre fabriquée à partir de coquillages de mer calcinés.

La maison goane typique est donc un *mélange* de traditions européennes, portugaises et indigènes. Les Portugais cherchèrent à garder pour leurs maisons des éléments comme le balcáo et la balustrade, et pour cela ils utilisèrent les matériaux locaux et ils apprirent comment les adapter à l'environnement.

Mais, on est maintenant témoin "d'une triste litanie" de belles et vieilles maisons faisant place à de nouvelles et affreuses constructions, comme Ann Mytton du National Trust of Britain l'écrit dans un rapport intitulé "Conservation à Goa". Mitton a été inspirée en partie par un article que j'avais écrit pour le *Sunday Observer.*

. . . une scène de désolation. La maison de Cunha Pereira a disparu. La maison de Messias Gomas va bientôt disparaître (ce qui est maintenant fait). Elle a été vendue aux enchères à la suite d'un procès et une monstruosité va la remplacer (ce qui est fait à présent). Celle de Carmo Vaz a été rasée pour

Page opposée: *Une élégante habitation goane avec des chambranles de porte délicatement sculptés, de solides meubles en bois, de grandes pièces aérées et des revêtements de sol en mosaïque. De telles habitations laissent malheureusement la place à de nouvelles constructions modernes et exhibitionnistes.*

faire place à un affreux bâtiment de cinq étages.

Ainsi ont disparu bien d'autres maisons: celle de Ferreia Matins, celle du vicomte de Pernen qui appartenu au pianiste Alfredo da Gama, celle de Jujú Gama, dont l'épouse fabriquait les meilleures confiseries de Goa, toutes ont disparues; l'imitation des portes et des fenêtres à arches que l'on adopte à présent dans une vaine tentative pour conserver le style, choque plus souvent qu'elle ne fait plaisir aux yeux.

Les réminiscences du style colonial avec des parquets, des meubles ouvragés et des porches stylisés son des éléments typiques des maisons de Goa.

En rétrospective, les Portugais se sont peut-être montrés obstinés et parfois de grossiers et cruels colons, mais ils ont certainement laissé un héritage qui est le meilleur atout et le plus visible de Goa. Malheureusement, tout cela semble menacé par une sévère érosion des valeurs culturelles - une vulgarisation des goûts individuels et publics due aux obligations de survie d'une communauté qui ne s'est pas encore pleinement adaptée à son époque et par les irrépressibles tendances exhibitionnistes des *nouveaux riches.*

VI

UN LIEU POUR TOUTES LES SAISONS

Je t'en prie, Seigneur, Dieu de la mort,
Que mon tour ne vienne pas aujourd'hui,
Pas aujourd'hui, Seigneur,
Il y a un curry de poisson pour dîner.

—Bakibab Borkar,
poète lauréat de Goa.

GOA, C'EST 105 kilomètres de littoral avec des plages de sables presque sans interruption, des eaux aigues-marines tièdes, des paysages admirables et des monuments historiques. Goa, c'est aussi une terre de gens cultivés, sereins et accueillants qui sont parmi les plus fins gourmets et les plus grands artistes du monde.

Sur le plan négatif, les communications sont parfois difficiles si ce n'est impossibles. Les infrastructures comme l'alimentation en eau et en électricité, le téléphone et le réseau routier sont pour le moins inadéquates, même en terme des besoins locaux croissants. Le développement rapide a conduit à l'émersion d'une nouvelle race de fonceurs désireux de faire des bonds en avant. Quand bien même, le tourisme est aujourd'hui la plus grande industrie de Goa, même si sa croissance a été fortuite et son style d'opération plutôt capricieux.

Tous les grands hôteliers du pays ont construit des centres de villégiature et des hôtels à Goa. Les Tatas exploitent l'Hermitage, le Fort Aguade Beach et le Taj Holiday Village; les Oberoïs, en collaboration avec Trade Wings, exploitent l'hôtel Bogmalo Beach Resort. Ils prévoient maintenant d'ouvrir un autre hôtel à Betul, une belle plage primitive; I.T.C., en collaboration avec le groupe local Timblos, a

Page opposée: Goa offre un littoral de 105 km de plages sablonneuses, bordées de denses palmeraies.
Pages suivantes 72-73: Rapon (un filet de pêche) est l'épine dorsale de la vie des Goans. Ici, un groupe de pêcheurs amènent leur prise du jour, qui sera ultérieurement vendue dans les marchés.

monté le Cidade de Goa à Dona Paula. Et à présent Timblos le gère entièrement.

A Panaji, un hôtel traditionnel vieux de trente ans, le Mandovi, qui fut longtemps le seul hôtel de grand luxe à offrir de la vraie cuisine goane et portugaise, se modernise aujourd'hui pour faire face à la compétition (mais dans le processus perd beaucoup de son charme d'antan).

Beaucoup de nouveaux hôtels se sont montés dans le sud de Goa, le Leela Venture, le Old Anchor, l'Averina, tous ceux-ci sont situés sur la plage de Mobor. La plupart des grands hôtels de Goa offrent à leurs clients le transport à partir de l'aéroport et un service gratuit d'autobus pour se rendre en ville les jours de la semaine. Beaucoup d'entre eux offrent des tours des sites archéologiques et des points de vue et organisent des croisières sur les rivières avec des bateaux équipés de bars, d'orchestres et des danseurs folkloriques. Dans tous les grands hôtels, les clients peuvent utiliser les piscines sans frais supplémentaires et, pour un prix modique peuvent pratiquer une grande variété de sports dont de nombreux sports aquatiques, de la planche à voile à la pêche en haute mer. Les touristes peuvent nager dans des limites sûres et bien démarquées. Pour les joggers et les randonneurs, il y a l'intérieur du pays, toujours vert même pendant l'été. Depuis peu, Goa Renaissance, une ancienne concession Ramada, offre aux joueurs l'occasion de tenter leur chance aux machines à sous. "Golden Mugget" est un club, mais il est beaucoup plus tranquille que celui du même nom à Las Végas.

Le littoral de Goa, qui court plus ou moins en ligne droite, fait face à la mer d'Arabie et

fait partie de la côte occidentale centrale de l'Inde. Sur toute sa ligne côtière, se succèdent des plages de sable séparées les unes des autres par des promontoires rocheux qui apportent un agréable contraste esthétique. Les sept rivières de Goa - la Tiracol, la Chapora, la Mandovi, la Zuari, la Sal, la Talpona et la Galgibaga - se jettent dans la mer d'Arabie et leurs estuaires ajoutent à la beauté des lieux. La plupart des rivières sont navigables presque jusqu'à leur source, mais à Aguada le cours d'eau est fermé durant la mousson car les bancs

aspersions de la mer. Les géomorphologistes pensent que les collines du versant oriental de Goa ont succombé aux effets de l'érosion et se sont fracturés, tandis que celles du versant occidental sont restées plus ou moins stables (les mythologues et les ménestrels ont plus d'une histoire passionnante à propos de ces promontoires qui étaient pensent-ils, le terrain de jeux de dieux voluptueux). Les *sopanas* (les marches) des collines ont inspirés les architectes militaires de plusieurs pays qui ont construit des forts massifs sur les sommets des collines et

À Goa, l'approvision-nement en poissons comme le surmai, le saumon et le mulet est inépuisable. Les pêcheurs (nustemhas dans le Konkan) sont complètement dépendant de la prise du matin.

(populairement appelées les bancs de sable d'Aguada et de Reis Magos) près de l'entrée de l'estuaire de la Mandovi, rendaient la navigation hasardeuse. Les bancs de sable sont connus et présents depuis des siècles.

L'histoire de Goa est dans une large mesure l'histoire de ses sept rivières. Grâce à elles le commerce et les voyages à l'étranger se font depuis l'époque la plus lointaine et sur leurs rives se sont élevés et sont tombées des civilisations et des empires.

La baie d'Aguada (dont les baies de Caranzalem et de Sinquerim forment une partie), où se trouve également le bar d'Aguada, est formée de deux promontoires: Cabo et Aguada. Ces deux caps se sont développés par l'exposition prolongée aux

positionnés des canons sur leurs remparts. Sur les rochers gardant les baies, plusieurs bateaux ont "déposés leurs bois d'oeuvre" - expression des chroniqueurs de l'époque pour décrire le destin des bateaux échoués.

Des plages vierges

Entre le mythe et la science se tient une glorieuse réalité - une quarantaine de belles plages, pour la plupart non polluées, bien qu'elles ne soient pas toutes aussi sûres que le voudraient les baigneurs. Le secteur le plus développé est la ceinture Calangute-Baga-Anjuna dans la subdivision de Bardesh au nord de Panaji. Le crédit de son développement revient presque exclusivement aux hippies qui ont commencé à venir à Goa en grand nombre au cours des années soixante, à l'époque où la guerre américaine du Viêt Nam battait son plein. Calangute est aussi la moins sûre. Une étude conduite par l'Institut national d'océanographie a conclu que les courants du littoral (paterne de courants convergents), le long de la plage de Calangute, font apparaître un courant prévalant vers le nord durant la bonne saison. Nager contre la direction du courant de fracture pourrait s'avérer dangereux.

une des rares plages de graviers de Goa et un paradis pour les amateurs de coquillages.

Au-delà de l'estuaire de la Mandovi, dans le *taluk* de Tiswandi, il y a de petites plages tranquilles et bien desservies. La plage de Gaspar Dias porte le nom d'un romantique noble portugais bien qu'elle soit aussi connue sous le nom de Miramar, d'un hôtel qui dans le temps était le repère des marins portugais en escale. Mais cette plage n'est pas sûre pour la natation.

Les autres plages sont celles de Caranzalem,

Les hommes sortent en mer pêcher le poisson tandis que femmes attendent à la maison avec l'espoir du bonheur de leur retour avec une prise abondante.

Les plages du nord de Goa, dans le *taluk* de Pernem, sont délicieusement primitives et vierges: la plage de Keri (avec Tioracol et un ancien fort portugais sur l'autre rive), Arambol (aussi appelé Harmal), Mandrem (un hameau de "trappeurs de toddy et de distillateurs de palme" avec deux petites plages - Lemos et Asvem) et Morji. Les gens du coin sont amicaux et ne font aucune interférence, les marchés sont bien achalandés et le système de transport public raisonnablement efficace. Pour l'hébergement, il y a des cottages presque spartiates et des huttes aux toits de chaume.

La rivière Chapora démarque le *taluk* de Bardesh où se trouvent de belles plages: Chapora, Anjuna, Baga, Calangute, Candolim, Sinquerim et une plage intérieure, Quedvelim,

Marvel, Dona Paula, Bambolim et Siridao, toutes situées à proximité du port de Mormugao. Le *taluk* de Mormugao possède une succession d'excellentes plages comme Bogmalo, Issorcim, Cola (un riche vivier pour la pisciculture et l'élevage des crustacés), Pale, Velsao et Cansaulim.Les plages de Cumberthi et Baina à Vasco de Gama sont très polluées et presque complètement ruinées.

Le *taluk* de Salcete possède les plus grandes plages et les plus propres de Goa: Gaudalim, Colva (la plus grande de Goa), Benaulim, Mobor, Varca, Carmona et Cavelossim. Plus au sud il y a d'autres plages aussi primitives que celles du *taluk* de Parnem mais plus fréquentées par des campeurs aventuriers que par des touristes étrangers. Ici, les gens de la

noblesse locale possédaient dans le temps des cabanons exclusifs qui étaient utilisés pendant les mois de l'été.

Il y a aussi, toujours dans le *taluk* de Canacona, les plages de Palolem, Colamba, Talpona,et Galgibaga. Et c'est ici que se termine le territoire de Goa. Au-delà se trouve la plage de Karwar au Karnataka et, au milieu perdue en mer, l'île dorée d'Anjevida que le poète épique portugais Camoens décrivait comme "l'île de l'Amour". C'est maintenant un établissement naval.

L'environnement de ces plages offrent un approvisionnement varié, abondant et presque illimité de fruits de mer, à des prix toujours aussi incroyablement bons marchés. Et Agonda (à ne pas confondre avec Agyaga) est réputé pour tous les poissons de roche inimaginables, et pourquoi ne pas tenter votre chance à la pêche à la ligne.

Le sport le plus rétribuant est la pêche à la ligne; le soormai, le saumon et le mulet sont des prises fréquentes. Et bientôt, le littoral entre Goa et Bombay va devenir la scène d'une course aux trésors. Au moins deux cents navires ont fait naufrage le long de la côte rien qu'au cours des deux derniers siècles. Bien que les rapports de voyage de la plupart des navires restent laconiques au sujet des marchandises qu'il y avait à leurs bords, il y aurait au moins six navires qui transportaient des trésors composés de métaux nobles (l'ancienne terminologie pour désigner l'or et l'argent) et sans doute aussi des gemmes et des pierres précieuses. À cette époque il n'y avait pas d'agents portuaires pour subvenir aux besoins des navires en escale. Aussi tous les bateaux transportaient des kilos des pièces pour rembourser les différents gages, et payer les entrepôts et les acquisitions de marchandises. Ces deux cents bateaux représentent une fortune rien qu'avec leurs coffres de pièces de monnaie engloutis.

Il y a déjà eu par le passé des chercheurs de trésor le long de la côte. Sardar Angre, le célèbre amiral mahratte a déjà rodé dans le coin dans ce but. Les Portugais et le roi du Canara, à cette époque, avaient une opinion

bien différente de Sardar Angre: il parlait de lui comme "d'un abominable pirate, responsable du naufrage de nombreux navires".

De glorieuses forêts

Goa est aussi dotée d'une flore et d'une faune très riches. D'est en ouest, les forêts profondes se fondent presque imperceptiblement aux plantations d'anacardiers, d'aréquiers et aux cocoteraies, intercalées de rizières dans les vallons, jusqu'à aux plages sablonneuses de la côte occidentale. Goa ne possède pas de forêts naturelles de sal ou de teck. C'est le pays du *terminalias* que l'on appelle ici matti, kindal et arjuna. Ils poussent avec d'autres arbres à épices comme le jambu, le nano et le kedu. Durant la saison chaude, quand les arbres perdent leurs feuilles, les branches blanches, rouges et brunes de matti, de kindal et de kushana font scintiller le paysage de couleurs. Et le doux parfum des fruits mûrs de l'anacardier remplit l'air.

Les forêts à étages multiples consistent d'espèces hautes comme le pun (*Callophyllous tomentosum*), le kedu (*Adina cordifolia*), le falpanos (*Artocarpus binsta*) et le jambal (*Eugenia jambollona*). Les espèces hautes sont entrelacées avec des plantes grimpantes comme le *Baubinia vabli*, l'*Entada pursaetha* et l'*Abrus precatorius*. Il y a toutes sortes sortes de fougères et d'épiphytes comme le Vanda, le Cymbidilom et les Dendrobium qui se balancent des branches. Les rayons solaires qui traversent les hauteurs de ces forêts permettent la croissance d'arbrisseaux comme le *Rauwolfta serpentina*, l'*Ixore*, l'*Hibiscus* et le *Sirobilanthus*. À certains endroits, la croissance resserrée des bambous et des joncs rend ces forêts impénétrables.

Le long des estuaires et des rives des deux principales rivières du territoire, la Zuari et la Mandovi, on trouve des forêts de mangliers. Dans d'autres parties du pays elles se disparaissent rapidement en raison de l'inclination croissante de l'homme pour la terre et le bois de chauffe, mais à Goa elles poussent toujours. À tout juste quelques kilomètres de Panaji, se trouve un riche marais de manglier sur l'île de Chorao qui possède une grande variété d'arbres. Dans les profondeurs de ces marais de mangliers, il y a beaucoup de crabes, de crocodiles et de mollusques. Les marécages

sont aussi les lieux de couvée des oiseaux marins et aquatiques. On peut voir des aigrettes, des hérons d'étang et des mouettes à la recherche de poisson.

Et, quant à la faune, bisons et gaurs sont les habitants de ces denses forêts toujours vertes. On peut souvent les voir en grands troupeaux quand ils émergent pour aller paître dans les pâturages. Le nombre de petits dans les troupeaux est l'heureux signe de la croissance de la population de ces espèces. Ces vertes forêts humides sont aussi l'habitat du cobra royal. Le cobra royal mange les autres serpents et on en voit parfois sur la route de Mollem à Belgaum qui traverse la réserve de Mollem. C'est une des trois réserves de Goa, les deux autres étant celles de Cotegao et de Bondla. On trouve également en nombre important des sambars, des cheetal et des daims. Les sambars s'enfuyant en débandade au moindre bruit sur la route traversant les denses forêts est un spectacle courant. On voit souvent des cheetals paître librement en compagnie de langours mais ont entend plus souvent le daim hurlant qu'on ne le voit. On trouve des sangliers un peu partout, en particulier près des plantations de canne à sucre en bordure des forêts. C'est la seule espèce animale qui ne soit pas protégée à Goa.

Les panthères deviennent de plus en plus rares à cause de la destruction progressive de leur habitat d'origine. Mais des petits perdus viennent parfois errer près des zones forestières; et on voit quelques fois des panthères la nuit sur la grand-route qui traverse la réserve de Mollem.

Goa promet beaucoup d'exaltation pour les observateurs d'oiseaux. Salim Ali, le fameux ornithologue qui a fait des recherches dans ce territoire, a fait la liste de 154 espèces d'oiseaux parmi les quelles figures le martin-pêcheur, le gobe-mouche du paradis, la colombe émeraude et le coq de bruyère. On peut également voir de rares calaos dans le secteur de Mollem.

Avec tout cela, pas étonnant que le tourisme soit une véritable industrie à Goa.

Page opposée: Un pêcheur goan habillé dans une chemise flamboyante attend avidement les clients, avec sa prise du jour de pomfret sur l'étalage.
Pages suivantes 80-81: Bien qu'un pêcheur gagne beaucoup, la plupart des profits est gaspillé dans la consommation d'alcool.

Un millier de façons de frire et faire des currys

Hormis l'histoire et les paysages, il y a une autre attraction ancestrale à Goa: la variété et la richesse de sa cuisine. Les *gonvils*, une des premières tribus dravidiennes, furent chassés vers les collines par les Aryens. Ils forment à présent un groupe de pauvres bergers. Mais ils font toujours la fête à l'occasion des naissances et des fiancailles avec du fromage de ferme, des volailles sauvages et des faisans cuits sur des feux de coquillages et de brindilles - exactement comme le faisaient leurs ancêtres "les princes et les guerriers" qui se régalaient de poissons qu'ils avaient eux même attrapés et s'enseignaient les milliers de façons de frire et de faire des currys avec leurs prises. Les Goans d'alors, tout comme maintenant, aimaient les bonnes choses de la vie.

Le feni, la puissante liqueur de Goa, est bien entendu venue avec les Portugais qui ont amené les noix de cajou du Brésil. Et ils savaient que le toddy des palmiers indiens avait un immense potentiel de base pour des liqueurs puissantes. Ils enseignèrent aux Goans à distiller le feni à partir des fruits de l'anacardier et de la sève de palme. En Konkani, la langue locale, "feni" veut dire "mousse" et le feni, mousseux mais âpre, est le résultat final d'une patiente distillation dans de grands chaudrons bien conçus en cuivre.

Le saint tribunal de l'inquisition, dans son édit d'avril 1736, décrète que les Goans convertis au christianisme "ne doivent pas ajouter du sel à leurs plats de riz bouilli comme le font les païens". L'idée était probablement que le sel devait être ajouté pendant la cuisson et non pas au moment de servir. Une affaire futile, vraiment, mais venant de l'inquisition qui faisait brûler au poteau, ou mutiler, les personnes qui tergiversaient avec la "loi de Dieu", c'était un commandement auquel il valait mieux pleinement adhérer. Ce qui est une façon de dire que la distinction de la nourriture de Goa a une histoire, plaisante dans l'ensemble mais parfois sanglante. A un moment donné, même les *poories*, appelés *foqueos* à Goa, furent interdits, cette sorte de pain étant considérée comme "païenne" (ironiquement, il y a de nos jours à Lisbonne plus de restaurant servant de la cuisine typique de Goa qu'à Panaji, la capitale de Goa.)

L'histoire mise à part, il y a une philosophie derrière la cuisine de Goa - le plaisir dérivant de l'oisiveté. Bouillir le riz dans un pot en terre sur un feu de balle de riz et de fibre de noix de coco, avec un feu lent et régulier, fait ressortir toutes les qualités du riz. Il faut deux heures pour le cuire et il reste chaud pendant encore deux heures. Les paysans de Goa mettent le pot sur le feu quand ils quittent la maison pour aller aux champs. Quand ils rentrent pour déjeuner, il est prêt, chaud et les tisons sont encore bons pour faire griller un maquereau

chauffée au rouge entraîne une réaction en chaîne produisant tout d'abord, la bactérie qui donne au vinaigre sa vigueur et son parfum. Des piments verts ou rouges, des oignons, ou des mangues vertes préservées dans du vinaigre, que désirez-vous? Les merveilleux condiments peuvent se garder pendant une année ou plus. Si vous posséder une jarre chinoise vitrifiée - les jarres du dragon qui se trouvent à la douzaine dans les foyers de Goa et se vendent partout ailleurs une fortune chez les antiquaires - vous pouvez transférer le

Un jeune Goan reçoit autant de baisers qu'il a d'années à célébrer (plus une pour la chance!)

séché au soleil pendant les mois de la mousson, quand le poisson frais n'est pas disponible.

Le bois de chauffe est utilisé pour cuire les currys. La porosité du pot et la douceur du feu de brindilles font ensemble merveille avec les épices et les condiments, et la viande ou le poisson qui s'y trouvent sont des meilleurs goûts. Les Goans font mariner les steaks dans du vinaigre de toddy de noix de coco. Mais avant, disent-ils, apprenez à faire le vinaigre. Laisser le toddy fermenter pendant un jour ou deux, versez-le ensuite dans un grand pot de terre non vitrifié. Faites chauffer un morceau de tuile de toiture jusqu'à ce qu'il devienne rouge vif. Jetez-le dans le pot de terre contenant le toddy. Puis scellez le pot avec un linge trempé dans une boue de fine terre rouge. La tuile

vinaigre dedans quand il a atteint sa maturité. Il y restera une année entière.

Les piments secs sont traditionnellement préservés dans de profonds récipients en cuivre matelassé à l'intérieur de paille de riz séchée au soleil; le haut des jarres est scellé comme les jarres de vinaigre. Les piments ainsi traités ne perdent jamais leur fraîcheur et sont protégés des moisissures.

Il y a une autre recette: planter un piment vert dans le ventre nettoyé d'une sardine ou d'un maquereau de préférence, mettez une *tawa*, une plaque de fonte épaisse, sur un feux de bois doux, et quand elle est suffisamment chaude, étendre dessus une couche de sel ordinaire d'un demi-centimètre d'épaisseur. Quand le sel commence à craqueler, placez le poisson sur le sel et tournez-le régulièrement, comme le font les paysans de Goa, jusqu'à ce que la peau se détache et que la queue se casse. On le mange avec les doigts et l'on garde le sel. Les Goans le mélangent aux restes de riz et d'aliments pour nourrir les volailles et les cochons dans leur arrière-cour.

Une judicieuse collection de matières brutes et d'ingrédients de base, une compréhension de la science de la préservation, une connaissance intuitive de la chimie du feu, des pots, des poêles et des matériaux avec lesquels ils sont

poêle posée sur une plaque de ciment, puis faites-les griller sur une *tawa* et servez-les chauds avec une bière bien fraîche.

La nourriture a été conceptualisée et les recettes ont été standardisées quand des familles entières voyageaient d'un village à l'autre durant les festivals. Chaque maison avait de grands dortoirs où les hommes et les femmes étaient fermement séparés et sévèrement surveillés par les aînés. Chaque fête, entre les préparatifs, les arrivées et les départs, pouvait durer deux semaines entières. Les cuisines étaient aussi

Les femmes attendent avec impatience le retour des bateaux de pêche avec la prise du jour.

faits et, de la patience - voilà comment les Goans font de délicates spécialités avec des matières premières bon marché et rudimentaires.

Et si vous avez encore des doutes à ce propos, prenez un *papad*, enrouler dedans des crevettes en ragoût avec des oignons, des poivrons, du sel selon votre goût et une cuillerée de lait. Coupez le rouleau en morceaux de cinq centimètres et faites-les frire dans une poêle, ce sera les meilleurs rouleaux que vous ayez mangés. Ou plus simplement, faites sécher des crevettes au soleil dans une

grandes que les salles de bal, avec parfois huit foyers ou plus brûlant ardemment avec des fibres de noix de coco pour le grill, des balles de riz pour les ragoûts, des brindilles pour les currys et des bûches coupées pour les cas d'urgence.

Car pour le Goan grégaire, la nourriture - très souvent dans des proportions gargantuesques et presque toujours cuite avec goût et imagination - est principalement un moyen de se retrouver, d'exprimer son amitié et de partager ensemble quelques un des plaisirs de la vie.

VII
UN PEUPLE BON VIVANT

'Ce monde dure quatre jours.'

—Chanson de mariage Konkanie

ONDE CANTA LA JANTA: là où ils chantaient, ils mangeaient; c'est ainsi que les premiers troubadours portugais préservaient leurs corps et leurs âmes. Ainsi est née une éthique: l'association de la bonne nourriture et de la bonne musique. Et les Goans perfectionnèrent rapidement cette symbiose épicurienne.

Si la bonne nourriture et les meilleures boissons - et les festivals organisés pour justifier la gloutonnerie qui prévaut à Goa - sont un heureux prélude à l'amitié, la bonne musique rend cette camaraderie encore plus permanente et fraternelle.

Mandos de protestation et de joie

Comme les Portugais, les Goans ont leurs chansons pour les jours heureux et leurs chansons pour les jours malheureux. Et tout comme leurs ancêtres hindous élitistes, ils ont des chansons pour le peuple et des chansons pour l'élite - exclusivement pour l'élite.

La vie d'un lapin, mère,
se passe dans les bois.
Jusqu'à quand dois-je rester, mère
Dans la maison de mon père?

Ce sont les paroles d'un *durpod* konkani. Quand il est chanté par un homme - un jeune homme, évidemment - c'est l'appel du fils disant à sa mère qu'il est temps qu'il

Page opposée: Le carnaval est célébré non seulement avec des représentations et défilés mais aussi avec des danses et bals élégants où les jeunes comme les vieux participent avec une ferveur égale. Le carnaval a été souvent comparé au festival de Holi commun dans le nord de l'Inde et dans lequel également les barrières d'âge et caste sont mise à l'écart pour un jour.

creuse son propre terrier, qu'il vive sa propre vie. Et quand il est chanté en solo par une jeune paysanne, comme c'est souvent le cas, c'est la plainte d'une âme qui perd de sa vitalité. Comparez le terre à terre de ces vers à l'élégance consciencieuse du *mando*, une chanson de danse qui conjure d'un seul coup les visions des salles ornées de chandeliers et de rideaux de dentelles:

Délicatement valse Térésa,
De beaux pieds dans des chaussons de velours.

Lucio Rodrigues, un des professeurs de littérature anglaise les plus réputés de l'Université de Bombay, a écrit dans une étude pour le journal de l'université:

Quand un Goan n'est pas amoureux d'une femme, il est amoureux de la vie dans toutes ses variétés et, il exprime son amour de la vie totale qui l'entoure par une chanson appropriée. Quand il est touché par la beauté d'une femme, il chante un *mando;* et quand il ressent une myriade de joies de vivre, il chante un *durpod.*

À cet égard, le *durpod* est la parfaite contrepartie du *mando.* Les deux types sont toujours chantés en séquence, l'un faisant suite à l'autre, le *mando* d'abord et le *durpod* ensuite, ce dernier complétant le premier.

Le *mando* est un chant passionné, né de l'oisiveté de la civilisation. C'est la chanson de l'aristocratie de Goa; sous bien des aspects il est emprunt du mode de vie des Portugais dont les aristocrates convertis de Goa étaient imbibés. On pourrait dire que le *durpod* appartient à la classe moyenne; son influence étrangère est négligeable. Et il a été tellement

maîtrisé qu'il se comporte avec légèreté - ou même plus, avec humour.

*Des soldats barbus rodent dans la nuit.
Prenez garde, ma mère a fait des crêpes à
la mélasse.*

C'est un autre *durpod* Konkani, absolument hilarant, qui est en quelle sorte une déclaration sur les conditions courantes. Pour le parolier, les soldats blancs étaient capables de tout dans la solitude de la nuit, même de voler les crêpes à la mélasse. Le *durpod* a un caractère plus indigène que le *mando*, il est caractérisé par une plus grande affinité pour la terre, et tient sa valeur nutritive des riches traditions du folklore de la terre de Goa.

Mando est un mot dont l'origine reste obscure. Il a été variablement associé à une danse du Mozambique, aux sons d'instruments de percussion et à un mot konkani qui signifie organiser ou installer d'où, une composition. Nita Lupi, une poétesse et musicologue portugaise, pense que *mando* est une évolution "d'une forme païenne à un dialecte chrétien". Le peuple de Daman, l'ancien comptoir portugais du Gujarat, dit-elle, danse aussi le *mando*.

Mais c'est à son avis un *mando* différent, presque entièrement inspiré par la musique portugaise. Une danse similaire marque toujours l'apogée de nombreuses fêtes à Srilanka. Les habitants l'appellent "Caprina" et font remonter ses origines aux rythmes négroïdes apportés dans l'île au seizième siècle par les Portugais.

Le *mando* de Goa est d'abord dansé en rangs parallèles par les hommes et les femmes. Dans sa forme classique, les hommes portent des pantalons rayés et des queues-de-pie, et tiennent d'une main un haut-de-forme et de l'autre un mouchoir de soie. Les femmes portent une jupe de velours ou de soie avec des bordures brodées d'or, une blouse de dentelle à manches longues et un foulard plié sur les épaules. Elles portent des chaussons (*chinelos*) de velours bleus ou rouges brodés de fils d'or (*zari*). Leurs cheveux sont peignés en arrière et retenus par des attaches de pierres précieuses. Une parure entière (en général des bijoux de famille très précieux) pour les cheveux, les oreilles, le cou et les mains complète la toilette des femmes.

Pendant toute la danse, les hommes et les femmes gardent une distance "convenable" les uns des autres. Les femmes cachent généralement une partie de leur visage avec un éventail de bois de santal ou de plumes. Comme dans la danse classique indienne, les yeux sont importants. Ce sont eux qui expriment le désir, la tristesse, l'espoir, la colère et la joie.

Les *mandos* sont composés pour des occasions spécifiques, en général pour les mariages - *la clé du mystère* pour ainsi dire - le parolier exposant finalement tout pour titiller les hôtes à la fin de la réception: comment et où le couple nuptial s'est-il rencontré, est tombé amoureux et s'est juré une fidélité éternelle; comment les parents ont réagit quand ils ont appris la nouvelle, bien après tous les autres gens du village, et ainsi de suite.

Un des plus beaux *mandos* de Goa, dédié à Marianinha (qui à propos était ma grand-mère) était cependant, une chanson de protestation. Claire de peau, rondelette et âgée de seize ans, Maraininha était tombée amoureuse - un amour juvénile, voulons-nous croire nous dans la famille) de Luis Manuel, un avocat sans dossiers, mais un poète inspiré et un excellent chanteur folklorique. Les parents de Marianinha n'étaient pas très heureux à cette perspective, ils arrangèrent rapidement son mariage avec Luis Antonio Xavier Cabral, un médecin qualifié et héritier d'une grosse fortune. Luis Manuel, un passionné, n'était pas prêt à accepter cela les bras croisés. Il composa un *mando* pour Marianinha et le chanta à la porte de Luis António, au moment où la réception du mariage était sur le point de commencer. "*Sonsar char disancho*" - ce monde ne dure que quatre jours, il est tellement éphémère - tel en était le thème; "*Papan getlo ghatu*" - ton père nous a joué un tour - telle était sa complainte. À la façon des bardes sentimentaux de l'époque, il espérait que la vie lui serait dorénavant plus favorable, l'amour étant un aspect éternel et spirituel dans sa vision de la vie et de ses mystères.

La musique était quelque chose de naturel pour quelqu'un comme Luis Manuel - et en fait pour tous les Goans. Il fut un temps où l'étude du *solfeggio* était obligatoire dans le programme des écoles paroissiales. Tous les jeunes devaient apprendre à chanter et à jouer au moins d'un instrument de musique et en conséquence, les grandes familles

trouver un moyen de vivre. De nombreux d'entre eux s'engagèrent comme cuisiniers ou maître d'hôtel, d'autres comme musiciens et chef d'orchestre, sur les navires de marchandises et les bateaux des lignes de luxe. Quand Quetta, à présent au Pakistan, fut secoué par un tremblement de terre dans les années trente, les journaux de l'époque publièrent un article sur la mort du meilleur musicien de la ville: c'était un Goan. Son corps avait été retrouvé sous un grand piano, et les reporters se sont hasardés en

Une image de carnaval dépeignant une jeune mariée et sa servante.

avaient leurs propres groupes de musique. Quand le plus grand maestro de Goa, António de Figueredo, est rentré à Goa dans les années trente avec les diplômes de deux *conservatoires* - Lisbonne et Paris respectivement - le seul commentaire de sa grand-mère fut: "Pourquoi est-il allé si loin pour cela? N'aurait-il pas pu apprendre au village?" (en fait, pour plus de détail, le maestro Figueredo venait de rentrer à Goa après un concert mémorable pour l'empereur autrichien dans l'ambiance des scintillements de cristal du palais de Vienne.)

À un moment donné, la richesse agricole de Goa a atteint son nadir et les Goans ont commencé à émigrer à contrecoeur, utilisant leurs facultés intuitives dans leur quête pour

conjecture en énonçant que sa fin était sans doute venue d'une façon qu'il aurait pu souhaiter.

Voici l'histoire du plus grand poète folklorique de Goa, de son nom: José Gizelino de Jésus Teófilo Tomás do Rosário Alexio Dugemanio dos Milagres e Piedade Rebelo (1875-1931) ou plus simplement Gizelino. Sa meilleure chanson était dédiée à son ami Mário de Rodrigues qui s'était suicidé à l'âge de 21 ans, après que Clara, la femme qu'il aimait, l'ait quitté pour quelqu'un de plus riche.

Lors du mariage de Clara, Mário a demandé à lever son verre. Et l'ayant levé, il bu d'un trait le champagne dans lequel il avait préalablement versé un poison contre les rats, comme le lui avait involontairement conseillé son ami le docteur Alexio António da Costa. Mário couru alors au-dehors et s'écroula au premier tournant du chemin. Ses admirateurs firent édifier à cet endroit une croix à sa mémoire. La croix, dit-on, a été récemment enlevée pour élargir la route qui conduit du village de Curtorim à Margao.

Gizelino a eu lui-même une vie dramatique. Il était de corvée dans son adolescence dans la maison de sa tante Amélia à Verna, sa propre maison à Curtorim étant alors désorganisée. Chez tante Amélia, il tomba

mando, il mourut d'une maladie infectieuse qu'il avait attrapée du fils de sa dernière maîtresse. Il s'occupa de l'enfant avec tendresse jusqu'à ce qu'il rende son dernier soupir.

Il y avait à Goa de la musique en toutes occasions. Quand les funérailles goanes étaient aussi spectaculaires que les mariages, les maîtres de la chorale des paroisses avoisinantes se réunissaient pour répéter les chants funèbres. Mais, si la famille était riche, elle louait les services de l'entière chorale de la cathédrale de la Mer - au moins cinquante

L'époque du carnaval est celle des joies et des plaisirs où toutes les barrières de religion, de sexe ou d'âge sont oubliées.

amoureux de Téréza, la domestique sur qui son frère cadet avait déjà un oeil. Tereza, bien dotée mais pas très prudente, papota au marché au sujet de ses affaires jumelles et la conséquence en fut désastreuse pour tous. Amélia elle-même n'était pas d'une pudeur affectée. Elle avait un amant - son beau-frère José, mais le privilège de la maîtresse de maison était une chose et les badinages des deux adolescents de l'élite avec une servante indiscrète, toute autre chose.

Gizelino se remit des débris de son premier - et futile - amour, et poursuivit sa vie tombant amoureux de nombreuses femmes, parfois de plusieurs à la fois. Et finalement, comme un vrai défenseur du fatalisme qui est tout ce que représente le

prêtres, des canons, des diacres, et plusieurs chanteurs profanes - pour entonner dans des formations polyphoniques magistrales le *De Profondis* et le *Dies Irae*. Et, tandis que la chorale commençait à entonner l'immense *basso-continuos* des diacres et le roulement voilé des tambours, les survivants de la chère âme défunte faisaient une ultime démonstration de leur douleur. Les descendants se tenaient dans le salon, moelleux et théâtral, tandis que les femmes pleuraient doucement, agrippant leurs mouchoirs brodés et leurs rosaires de nacre de leurs pâles mains veineuses. Dans les maisons moins prétentieuses, la douleur était plus bruyante et improvisée, de même que les funérailles et les prières.

La musique avait à Goa une autre qualité, presque celle d'un *avatar*. Un *dekhni* goan, que les cinéastes de Bombay ont trop souvent plagié et perverti, *"Aunv Saiba poltori vetain"* - Monsieur, traversez-moi de l'autre côté de la rivière - est sans doute la déclaration goane la plus expressive sur les aspects transitoires de la vie. La protagoniste est une *kalavant* (une danseuse) qui prie le batelier de la faire traverser; elle a un engagement et doit honorer sa promesse. C'est le jour du mariage de Damu et elle doit danser au *mattov* (le *pandal*).

Damu était un riche *saukar* (une sorte de petit chef de clan) et fut à une époque son amant. Il s'était enfui de l'autre côté de la rivière quand les *firangis* (les conquérants blancs) avaient détruit le temple du village, prenant tout ce qu'il pouvait avec lui mais la laissant sur place. Et maintenant, il allait se marier et elle devait traverser pour le rendre heureux une nouvelle fois, et danser à son mariage pour son plaisir. Le batelier lui offrit des bracelets bijoux de pacotille et des fleurs pour mettre dans ses cheveux, mais elle résista à ses avances et le pria de la laisser partir, car elle devait absolument danser pour son ex-amoureux. Finalement, le batelier séduit la *kalavant* et son chant se fond dans un refrain funèbre et désespéré: *"Maka naka go"* - S'il te plaît, non s'il te plaît, je ne veux pas.

C'est sans doute une sentimentalité sans intérêt pour ceux qui ne connaissent pas le terrain. Mais pas pour les Goans - certainement pas pour moi. Car la séduction de la maîtresse de Damu au croisement de la rivière résume bien un millier d'années de l'histoire de l'île de Divar où tout cela est arrivé (et où ma famille a vécu). Les rois Kadambas avaient construit sur cette île le premier temple hindou de Goa et l'avaient dédié au dieu Mahadeva. Puis vinrent les Bahmanis musulmans et les hindous se sont enfui, pour revenir un demi-siècle après et recommencer leurs vies. Sont ensuite venus les Portugais. Le temple de Mahadeva fut converti en chapelle. Celle-ci existe toujours et ses murs ronds révèlent ses origines. Bon nombre d'habitants de l'île nagèrent jusqu'à l'autre rive et échappèrent aux conversions. Ils laissèrent derrière eux leurs maisons, leurs terres et leurs temples. Et certains, comme Damu, laissèrent derrière eux leurs biens immobiliers et leurs concubines.

Comme la *kalavant* de Damu les Goans ont du à maintes reprises au cours de l'histoire soit endurer d'indescriptibles épreuves ou subir de nouvelles flatteries. *"Maka naka go"*, le refrain de ce *dekhni*, est l'écho de cette résistance perpétuelle mais sans effets aux changements et aux conquêtes. Heureusement, ils ont finalement été capables de s'ajuster aux nouveaux changements et d'élargir leur horizon.

L'histoire de Batabaï permet de mieux comprendre les affres de l'histoire et de la vie des Goans: Batabaï était une belle *devadasi* (une danseuse) qui vivait dans le seraglio du temple de Dargal. Les racoleurs des *firangis* la découvrirent pour le secrétaire-général du territoire. C'était un puissant mandarin, le second du gouverneur-général, mais le maître de facto. Il menait une vie de solitaire, loin des bouffons et des demi-mondaines qui animaient les salons et inspiraient les intrigues de la cour. Mais, "ayant besoin d'une femme", comme tous les hommes blancs de l'époque, il se mit à la recherche d'une. Heureusement pour lui, Batabaï satisfaisait à toutes ses conditions. Elle était belle et bien proportionnée et avait des "habitudes propres". Elle chantait et elle dansait aussi très bien, mais le secrétaire-général portugais n'avait pas besoin de ces "garnitures d'une courtisane orientale". Cependant, au fur et à mesure Batabaï prit de l'assurance. Quand elle s'est retrouvée enceinte, elle a fait promettre à son amant que si c'était un garçon il le ramènerait au Portugal, l'enverrait dans les meilleures écoles et ferait de lui un homme. (Dans les seraglios des temples de Goa, les garçons devenaient au plus des joueurs de *mridang*, des percussionnistes. Tellement morne était leur vie que le terme *murdaugueiro* désigne maintenant en portugais un souteneur, et non pas un batteur de tambour.) Et, si l'enfant devait être une fille, elle serait aussi belle que sa mère et deviendrait plus tard une artiste de cabaret accomplie. Elle serait sans doute aussi claire de peau que son père, et cela augmenterait sa valeur, aux ventes aux enchères pour le droit du *baat-lavni* (le rituel de défloration d'une *dasi*).

Ce fut un garçon, et un brillant garçon en

définitive. Après ses études à l'université, son père le fit rentrer dans le service civil et plus tard il obtint le poste de secrétaire-général de Goa - tout comme son père. A son arrivée à Goa, sa première tâche fut de rendre visite au temple de Dargal et de faire poser officiellement une plaque commémorative à l'entrée du seraglio: "*Aqui viveu Batabaï*" - Ici a vécu Batabaï. Il aimait beaucoup sa mère.

La plaque n'existe plus. Elle rendait hommage au courage et à la vision de Batabaï, à sa créativité, à sa sagesse et à sa

aussi la saison pour distiller le fameux feni des pommes d'anarcade. En juin, les mousses qui poussent sur les troncs des cocotiers, rendent difficile leur ascension même pour le plus agile des utilisateurs de toddy. Ils exploitaient donc la sève en mai avec un incroyable entrain, et avec le même empressement allumaient les feux sous leurs alambics de cuivre afin de produire le plus de feni de coco avant l'arrivée de la mauvaise saison.

Mai est une bonne époque pour camper

Le brassage de alcool local est par lui-même une très grande industrie à Goa. Des boissons comme le feni, fait de cajou, et le toddy de palmier sont distillées mêmes dans des villages éloignés.

capacité à discerner le meilleur de l'Orient et de l'Occident et à les allier dans un amalgame durable.

Les fêtes et les festivals de la moisson

À une époque, le mois de mai était la grande période de fête à Goa. Des milliers de personnes venaient à Goa par la mer, par la route ou par le train - des Goans de naissance et d'autres issus de familles goannes établies dans les grandes villes indiennes pour la plupart. C'était le retour au pays sous bien des aspects similaires au prodige biblique. Et la nature était également bonne. Car mai est la grande saison des fruits à Goa: les mangues, les jacquiers, et les jambul. C'était

sur les plages, grimper sur les collines et explorer les pentes des Ghats occidentaux. Les antilopes descendent à la recherche d'eau et les cobras royaux se préparent à hiberner dans le secteur de Caranzol, lieu d'habitat de ce majestueux reptile.

Dès la première semaine de juin, le *mirg* est à son apogée. *Mirg* est une des vingt-sept étoiles du calendrier solaire hindou. A son apogée, la mousson commence. Il y a un *mirg* hindou le six juin, et un *mirg* chrétien le cinq. Si le *mirg* n'amène pas les pluies, il faut faire des prières votives aux saints catholiques du mois - S. Antoine le treize, S. Jean-Baptiste le vingt et St. Pierre et S. Paul le vingt-neuf. Au Portugal ils sont connus comme les "saints populaires", et leurs jours

de fête sont aussi des occasions de longues nuits de festivals folkloriques.

Aux danses folkloriques de la fête de St. Antoine à Goa, on fait des feux de joie. Menées par leurs galants, les adolescentes sautent par-dessus les flammes au son des rires et de la musique. Chaque fille qui saute bien, croit-on, sautera par-dessus les obstacles de la vie avec autant d'agilité et de joie.

Juillet est le mois de Shravana du calendrier hindou, et les Goans célèbrent joyeusement les festivals de tous les calendriers - le calendrier hindou, tant lunaire que solaire, et le grégorien. Juillet est aussi le mois pour greffer les manguiers. La technique a été enseignée par les Jésuites qui étaient experts en manipulation génétique. Ils produisaient d'excellentes variétés de mangues et d'autres fruits tropicaux comme les pommes-cannelle et les *chikoos*. Chaque variété recevait le nom des rois au pouvoir, des reines, des papes, des archevêques et des vice-rois. Quelques variétés reçurent le nom de belles femmes qui allégèrent le fardeau de leur croix. Par exemple, *Fernandinha*, une mangue tendre et mince qui devient rose quand elle est mûre, dont on dit qu'elle est comme la Fernandinha originale qui était une jeune fille d'une grande beauté.

Juillet est le mois où les rizières sont désherbées par les paysannes qui chantent pendant leur labeur. Les estuaires et les rivières sont plein d'eau et les hommes, aidés par les petits garçons, étendent des filets sur toute la largeur de la rivière pour prendre au piège les crevettes, les mulets et les saumons. (Et ci-inclus voici une délicieuse recette qui vaut bien la peine d'être essayée: attrapez un mulet, enveloppez-le dans une feuille de bananier, enduisez l'extérieur de limon noir de bord de rivière et faites le cuire sur un feu de paille de riz. L'argile noire devient gris et craquelle. Et l'arôme du poisson, cuit à l'étouffée dans son propre jus, remplit l'air.)

Page opposée: Les magasins de vin peuvent être trouvés à chaque recoin et coin de Goa. L'alcool est très bon marché et aisément disponible et même vendu par des vendeurs d'individus sur des plages et dans des trains. L'interdiction, qui est commune dans certains autres états Indiens, serait difficile à réaliser dans un Etat comme Goa avec sa mode de vie hédoniste.

Le Seigneur Krishna est né pendant le mois de Shravana, et son anniversaire, Gokul Ashtami, marque le début des festival des moissons à Goa. A une époque en ce jour une grande foire avait lieu au village de Narve qui à cette époque était situé à distance des prédateurs de la soldatesque portugaise. Les hindous venaient de toutes les régions Goa et priaient librement pour que les dieux leurs soient favorables. C'est toujours un lieu de pèlerinage, mais la foire est devenue un événement banal.

Durant le mois suivant de Bhadra, se célèbre la naissance du seigneur Ganesha, la plus importante de toutes les fêtes hindoues du Konkan. Des milliers de Goans retournent à Goa pour Ganesh Chaturthi. C'est le moment de savourer les bonnes choses de la vie, les sucreries en particulier. Mais Ganesh Chaturthi n'est pas le seul festival des moissons célébré à Goa. Dans chaque village, un jour est réservé pour l'offrande à l'église des premiers brins de riz récoltés. Le prêtre de la paroisse se rend dans les rizières, souvent avec une petite faux d'or et d'argent, pour récolter quelques brins de riz. Il est ramené à l'église accompagné de musique et de pétards. Une messe suit, et le riz est béni. Chaque croyant emporte chez lui une liasse comme bénédiction symbolique, et la dépose sur son oratoire privé. La veille du *novidade* ou la nouvelle moisson, est un jour de grande jubilation, un bon prétexte pour se permettre de faire bonne chaire, de boire et de danser. Aucun fermier, soit-il hindou ou chrétien, ne moissonnera avant que le *novidade* ne soit célébré dans l'église locale. C'est l'époque où Goa est la plus verdoyante. Du haut des collines aux rizières, le paysage prend d'incroyables nuances de vert, des hectares luxuriants, partout où porte la vue. Et les pêcheurs à la ligne sont sûrs de drôlement bien s'amuser.

Depuis une dizaine d'années maintenant, la mi-octobre marque le début de ce que l'on appelle la saison touristique. Elle dure jusqu'à la mi-janvier et c'est une bonne époque de l'année pour venir à Goa. Le climat est tout à fait comme il le faut. Noël fut toujours - et reste toujours dans l'ensemble - le point fort de la "saison". À l'époque de Noël, aucun bon maître de maison de Goa ne ferme sa porte d'entrée. Il garde sa maison ouverte pour tous ceux qui voudraient y entrer avec de bonnes intentions pour partager "tout ce qu'il y a", quelque soit l'heure du jour - et plus rarement de la nuit. Comme partout dans le pays, en saison ou hors saison, la vie à Goa débute à l'aube. Mais au lever du soleil se terminent aussi plus d'une nuit goane de festivités.

Le carnaval de Goa

Le Carnaval (*C-a-r-n-a-v-a-l* avec la phonétique portugaise ou goane) est probablement l'époque où l'on peut le mieux saisir l'âme et l'esprit goan. Le Carnaval, l'euphorie d'avant le carême, est un état d'esprit, imprévisible et passionnant, imprévu mais agréable. Il ne connaît pas de barrières. Le comique transgresse parfois la décence, mais cela à Goa, est l'exception qui confirme la règle. À une époque c'était un festival pour tous les hommes et toutes les femmes - les enfants en particulier - "de bonne gaîté". Le passé était heureusement pardonné, le futur vite oublié, et la vie était, comme dans la chanson, "este doce momento" - ce doux moment présent. Le Carnaval de Goa est plus cérébral que physique, mais c'est une sorte de folie, néanmoins. Comme la plupart des choses agréables, le carnaval a une origine suspecte. Contrairement à la croyance populaire, ce n'est pas une fête catholique. En fait, les puristes parmi les membres du clergé fustigent que c'est une démonstration répréhensible et nullement décontenancée de paganisme. Il y avait des carnavals bien avant la naissance du christianisme. Les romains célébraient le Saturmalia dans l'orgie et le spectaculaire, avec des chars et des tableaux vivants, des clowns, des séductrices, des nicheurs, des gymnastes et des travestis. Et il y avait des carnavals avant même le Saturnalia romain. Il est connu que les Grecs dédiaient le festival à Cronus, un des Titans, le père de Zeus.

La plupart des dictionnaires font dériver le mot carnaval de ses composants latins - *carne* voulant dire la chaire et *levare* voulant dire ranger. C'était le prélude aux quarante jours de pénitence et de totale abstinence qui devait bientôt suivre. Le Carême était à l'époque une période rigoureusement observée de deuil et de méditation et, en rebondissement, le carnaval était trois jours d'émeute et de licence.

Le carnaval est venu à Goa avec les Portugais. Jusqu'alors Shigmo était le seul grand festival du printemps. Shigmo vient du Sanskrit *shugribimak*, incarnant l'arc-en-ciel et c'était donc une fête des couleurs, célébrée durant le mois de Falgun, le dernier mois du calendrier hindou. Il est célébré dans toutes les autres régions de l'Inde comme Holi. Il est intéressant de noter que Shrovetide, le précurseur du carnaval moderne, était célébré en décembre.

Le Carnaval à Goa était un grand niveleur. Les plus anciens comptes-rendus - tous des ouïe-dires - sont très édifiants. Les maîtres blancs déguisés en esclaves noirs, et ces derniers - généralement des esclaves ramenés du Mozambique - s'enduisaient le visage de farine et portaient des herses ou marchaient avec des échasses. Pour ces trois jours éphémères, ils étaient heureux d'être plus grands que dans la vie. Et tandis que les "blancs" et les "noirs" s'imitaient, les "bruns" locaux regardaient ce spectacle de renversement des rôles avec une crainte mêlée de respect dans les coulisses.

Au bout d'un moment, quand le régime impérial s'adoucit et que les inhibitions s'estompèrent, le carnaval, non plus une excuse d'être ce que l'on était point - et que l'on espérait souvent être - devint une période de bonhomie. les vieux et rudes imitations fleurirent en des satires sociales. Dans les villages, les dramaturges coordonnaient dans le *khel* (le mot konkani pour pièce de théâtre) anecdotes, événements et critiques. Le gouverneur-général, sa famille et sa suite, utilisaient l'occasion pour une démonstration de diplomatie. Ils aspergeaient les foules de *poudre de riz* et de confetti, et étaient contents d'être aspergés de même. Aux bals du carnaval, le gouverneur-général dansait avec qui il voulait - à condition bien sûr, qu'elle soit d'accord. Et chacun était libre de demander à la femme du gouverneur général de lui accorder une danse. Et si c'était un tango, ils dansaient le tango - joue contre joue, hanche contre hanche.

À une époque le carnaval était une ambiance. Il n'y avait pas de spectateurs, il était strictement réservé aux participants. De l'aube au crépuscule, et encore jusqu'à l'aube.

ils chantaient et dansaient, changeaient de costumes et de partenaires, et chantaient la sérénade à leurs *namoradas* (petites amies). Escortées par leurs gardiens, les débutantes s'amusaient et évoluaient à tâtons pour leur premier bal masqué. Ceux qui tombaient amoureux durant le carnaval se mariaient après Pâques.

Le carnaval d'aujourd'hui n'est plus le même. C'est à présent plus un spectacle, souvent grandiose et polychrome, avec des danses de rue et des bals en habits et des

façon pratiquement sans interruption pendant quatre jours et quatre nuits. Ils boivent pratiquement au tonneau, et quand bien même peu d'entre eux donnent l'apparence d'être saouls. Les fêtards s'accueillent avec un "Viva Carnaval:!" à pleine gorge. A la fin, on peut voir que la joie à Goa a été - est, et si dieu le veut, sera toujours - une affaire sérieuse.

Avec le Carnaval, Pâques n'est plus très loin. Et quand il arrive, c'est déjà l'été - les volailles engraissées dans les arrières cours et

Le carnaval est une période de joie. Le médiateur qui préside est le Roi Momo, le patron de la bonne gaieté et de la camaraderie qui est supposé éloigner les soucis et les pleurs.

parades avec toutes sortes de chars. Mais malgré tout ce que les puristes peuvent dire en faveur "des bons vieux jours" et en critiquant "les nouvelles méthodes de fête", le carnaval de Goa reste toujours un événement dont on se souvient. Chaque année des milliers de touristes se ruent à Goa pour ces célébrations. Proéminents parmi les visiteurs sont les stars du cinéma de Bombay - quelque uns pour participer, d'autres pour voir les différents shows et parades.

Pour ceux qui n'ont jamais fait l'expérience de la manière de vivre à la goane, un des grands mystères du carnaval est la capacité des fêtards locaux de chanter et danser à leur

les anacardiers en fleurs, et les cochons prêts à être égorgés et conservés dans la saumure pour les réunions du mois de mai. Il n'y a jamais de fin aux célébrations à Goa; et pas de commencement précis non plus. Car la vie, comme l'on dit à Goa, est un tel moment fugitif.

Pages suivante 96: L'impact de la culture portuguaise dans la vie quotidienne de familles Catholiques est très évident à Goa. Les gens se saluent en s'embrassant sur les joues et en se serrant les mains, une pratique très latine. La robe occidentalisée, quand elle est portée, est du style le plus récent et le plus élégant.